探偵倶楽部

東野圭吾

目次

偽装の夜　五
罠《わな》の中　八五
依頼人の娘　一三九
探偵の使い方　一八九
薔薇《バラ》とナイフ　二四九

偽装の夜

1

乾杯は、緊迫したような、そのくせ少し気恥ずかしいような雰囲気の中で行なわれた。音頭《おんど》取りは、太っちょの営業部長の役目と数時間も前から決められている。大役を無事終えた営業部長は、白いハンカチで額の汗をぬぐいながら座布団の上にすわり直した。

「お疲れさまでした」

横から小さく声をかけたのは三十過ぎの長身の男だ。銀行マンといっても通用しそうなほど見事に、濃紺のスリーピースをぴっちりと着こなしている。ただ眼光の鋭さだけは、ごまかしきれない。男の名は成田《なりた》真一《しんいち》、大手スーパー・マーケットを経営する、正木《まさき》藤次《とうじ》郎《ろう》の秘書だった。

「どうだったかな？」

と営業部長は成田に訊《き》いた。「何もミスをしなかったかな？」

「はい、お見事でした」

成田は口元に笑みを浮かべた。「まるでダ・ビンチの絵のように完璧《かんぺき》でしたよ。一分の隙もない」

「ありがとう」

営業部長は満足そうだった。

二月のある日、正木藤次郎の喜寿を祝う会が、正木家の和室に五十名あまりを集めて盛大に開かれた。主催者は藤次郎の娘婿であり、副社長でもある正木高明《たかあき》である。高明は藤次郎の隣りにすわり、さかんに酌をしていた。

高明に限らず、正木家の親族の男は、ほとんど皆、何らかの形で藤次郎の会社関係の仕事に就いているといえた。それだけに名実ともに藤次郎の独裁政権といってよく、この会社で勝ち残っていくためには、まず藤次郎の眼鏡にかなう必要があった。

乾杯の音頭を取った営業部長も、藤次郎には甥《おい》に当たる。

「そこでおえら方は、このチャンスに社長に自分を売り込んでおこうって寸法さ」

末席でビールを飲んでいた若い男が、隣りの同年配ぐらいの男に小声で話しかけた。彼らはどちらも、それぞれの上司の鞄持《かばんも》ちとして出席させられているのである。

「なんといっても、人事の最終決定は社長の一言でなされるんだからな」

「副社長でも、まったく頭が上がらないって話だ」

「上がるもんか。ほら、副社長の隣りに和服の女性がすわってるだろ？　あの人が社長の娘で、副社長は婿養子なのさ」

「専務も社長の息子なんだろ？」

「こっちは実子だ。ただし副社長夫人とは異母姉弟なんだな。二番目の奥さんとの間にできた子どもが、専務の正木友弘《ともひろ》氏というわけだ。最初の奥さんは、病気で亡くなったらしい。おそらく社長のモーレツぶりに、身体がもたなかったんだろうな」

二人の若い男は、会場の隅から正木藤次郎の方を覗《のぞ》き見た。白髪の、小柄で痩《や》せた男が藤次郎である。その横にいる、中肉中背で少し腹の出っぱった男が高明だった。脂で光った額が、精力的な印象を与えている。

高明の反対側には、白いドレスを着た三十前後の女が料理を口に運びながら、藤次郎と高明の話に耳を傾けていた。髪をアップにし、時折見せる笑顔や、何気ないしぐさに妖艶《ようえん》さを漂わせている。

「誰だい、あの美人は?」

一方の男が訊いた。

「知らないのかい? 社長の奥さんだよ、新妻だ。三番目ってことになるな」

「奥さん? えらく年が離れているじゃないか」

喜寿というぐらいだから、藤次郎は今年七十七になる。

「すべては金の力さ。あの奥さんも、社長の寿命はよくもってあと十年、というぐらいの計算はしているんじゃないか」

「なるほど。しかし二番目の奥さんが亡くなったという話は聞いていなかったけど、離婚したのかな?」

すると相手の男は、さらに声を落として言った。

「別居したって噂は去年からあったけどな。ただ、離婚したとなると、大変な額の慰謝料を請求されただろうな。三億、いや五億は下らないだろう」

ヒューと相手の男は口を鳴らした。

「雲の上の数字だ。しかし社長の資産からすれば、何分の一かなんだろ？」

「それはそうだがね。噂によると、社長はあれでなかなかケチンボなんだそうだ。だから当然の額とはいえ、涙が出るほど悔しかっただろうと思うよ」

「あの新妻が、五億円の買い物だったわけだ」

「価値観は人それぞれだからいいけどさ、五億出して、自分のモノのほうが使えないんじゃ涙も出ないだろうな」

「七十七だろ？　その可能性は高いぜ」

クックックックッと二人の若い男は、淫猥《いんわい》な含み笑いを漏らした。

この会の進行係を任されている成田は、プログラム表と腕時計とを見比べると、わずかのズレもないことを確認して頷《うなず》いた。この程度のことで手違いがあるようでは話にならないと思っている。

「ごくろうさん」

肩に手をかけてくる者がいた。背は低いが、がっしりした身体つきの男だ。声にも響きがあって、いかにも押し出しの強い印象を与える。男は成田の前に、とっくりを差し出した。

「恐縮です、正木専務」

成田は正座したまま分度器で計ったような正確な会釈をすると、手元の盃《さかずき》を取り上げて正木友弘の酌を受けた。

「義兄《にい》さん、なかなか熱心に親父の相手をしているな」

友弘は、藤次郎のそばにくっついたままの高明の方を見て言った。嘲《あざけ》りと悔しさの混じったような響きがある。

「副社長は、いつでも熱心なお方ですから」

すると友弘は妙な含み笑いを漏らした。

「いつでも熱心か、なるほどな。なにしろ親父がちょっとへそを曲げると、副社長だろうが専務だろうが、すぐに首を切られかねんからな」

友弘は成田の肩をもう一度叩《たた》くと、とっくりを持ったまま他の客の方に行った。

たしかに——と成田は彼の後ろ姿を見ながら思った。たしかに社長は専務の首くらいなら簡単に切るかもしれない。その程度の代わりはいくらでもいると、藤次郎はつねづね成田にも言っているのだ。だいたい今の幹部クラスは、ほとんどコネで上がってきた者ばかりで、実力で勝ち残ってきたのではないからだ。

だが高明はその中にあって、異質な存在だった。正木家とは何のつながりもないが、その才覚を藤次郎に認められ、彼の右腕として娘婿に迎えられたのだ。友弘は実の息子だが、わしの次は高明だ——これは藤次郎がいつも言っていることだった。

藤次郎の正妻である文江《ふみえ》が乗り込んで来たのは、会も半ばを過ぎ、場の雰囲気もかなりくだけたものに変わってきた頃だった。末席近くの襖《ふすま》が突然開き、和服に身を包んだ太目の女が、睨《にら》みつけるようにして宴席を見渡したのだった。

彼女の顔を知っている者はもちろん、知らない者も、彼女の迫力に圧倒され言葉を失った。

文江は全員が固唾《かたず》を呑《の》んで見守る中を、ゆっくりと藤次郎に向かって歩き出した。実の息子である友弘が、「かあさん」と声をかけたが、見向きもしなかった。

彼女は藤次郎の前まで行くと、彼の顔をじっくりと眺めてから、その場で正座した。

「何の用だ？」

藤次郎はあぐらをかき、盃を持ったまま低い声で訊いた。顔の肉ひとつ動かさないのはさすがだった。

文江は、ハンドバッグの中から奇麗に折りたたんだ紙を取り出すと、それを自分の前に置いた。

「あなたから頼まれていたものです。お届けに上がりました。離婚届です」

ざわっと場が乱れ、それからすぐに静かになった。

「おかあさん、何もこんな時に……」

高明が横から口を挟みかけたが、藤次郎が、「かまわん」とそれを制した。そして、「成田」と自分の秘書の名を呼んで、文江が出した紙を顎《あご》で差した。

成田はかしこまった態度で出て行くと、その紙を取って藤次郎に渡した。藤次郎はそれを開いて、しばらく眺めていたが、やがて納得したように頷くと、

「これを明日、さっそく出して来てくれ」

と成田に渡した。そして文江の方を向いて言った。

「よく届けてくれた。慰謝料のほうは、間違いなくおまえの口座に振り込ませてもらう」

「お願いします」

文江は無表情のまま、頭を下げた。

「せっかく来たんだ。料理でも味わって行ったらどうだ？　今日は格別のネタが揃っているんだが」

「いえ、私はこれで……」

「……そうか」

文江はもう一度頭を下げると、すっと立ち上がり、全員が見つめる中をしっかりとした足取りで下がって行った。襖が閉められ、彼女の姿が見えなくなってからも、硬直した場の雰囲気はそのままだった。

「成田」

藤次郎が呼んだ。

「はい」

「わしは少し部屋で休むが、宴会は続けろ。酒をもっと頼め。今日は少しぐらい遅くなってもかまわん。場を盛り上げるんだ。この程度のことでおろおろしているようでは話にならんぞ」

「承知しました」

成田は返事しながら、社長も結構こたえているらしいと内心面白がっていた。

文江の出現で場は一気に冷えたが、料理と酒を増やし、カラオケを始めれば、また徐々に元の状態に戻り、一時間も経った頃には充分な盛り上がりを見せていた。高明が成田のところへ来て、そろそろお開きにしたらどうかと耳打ちした。成田の腕時計は九時になろうとしていた。

「社長はお呼びしなくてよろしいですか？」

「いや、呼んだほうがいいな。一言もらうとしよう。君、すまないが呼んできてもらえないか？」

「わかりました」

成田は宴会場を出ると、長い廊下を歩いて藤次郎の書斎に向かった。

部屋の前に立つと、成田は二度ドアを叩いた。重厚な響きが拳《こぶし》から身体に伝わる。だが部屋の中からは返事がなかった。

――おかしいな。

成田はノブを捻《ひね》ってみた。しかしドアは開かない。鍵《かぎ》が掛かっているのだ。

「社長」

彼は少し大きい声を出して呼んでみた。藤次郎は最近耳が遠くなってきている。もし眠っているのだとしたら、少々の音では目を醒《さ》まさないだろう。

それでも返事がないので、成田は宴会場に引き返した。そしてまだ終わらないカラオケ大会に、うんざりした顔をしている江里子《えりこ》に近づいて事情を話した。

「そうなのよ、最近耳が遠くってイライラしちゃう。やっぱり年ね」

江里子はアップにした髪を押さえながら成田を見上げた。

「鍵は、お持ちですね?」

「持ってるけど……いいわ、あたしも一緒に行くから」

彼女も立ち上がって、成田の後に続いた。

「ねえ」

長い廊下を歩いている途中、江里子は成田の耳元で囁《ささや》いた。「あの計画……どうするの?」

「場所を考えてください。誰が聞いているかわかりませんよ」

成田は真っすぐ前を向いたまま言った。

「大丈夫よ、誰もいないわ。――前の奥さんとは無事離婚することになったし、あたしが正式の妻になったら、すぐにやってくれるんでしょう?」

「すぐはだめです。怪しまれるだけですからね。半年、いや一年ぐらいは辛抱したほうがいいでしょう。そのぐらい経ってから、病死に見せかけて……と考えています」

「一年？　長過ぎるわ」

「我慢のしどころですよ。ここを乗りきれば、一生遊んで暮らせるんですからね」

「あなたと……ね」

「声が大きいですよ」

成田は江里子をたしなめた。藤次郎の部屋が近づいたのだ。

「それでは奥様、お願いいたします」

彼は江里子に場所をゆずった。彼女はウインクをして見せたあと、鍵穴にキーを差し込んで回した。カチッという、鍵の外れる音が聞こえた。

「あなた……」

そう言いながら江里子はドアを開けたが、室内に目を向けた途端、「ヒッ」という息をつめたような声を発していた。そしてそれとほぼ同時に、成田もその異様な情景を目の当《ま》たりにしていた。江里子の身体は小刻みに震え、それに誘発されたように成田の膝《ひざ》も痙攣《けいれん》を始めた。

書斎の中央には人間の身体がぶら下がっていた。そしてそれはゆっくりと揺れて、時折成田たちの方に顔を向けるのだ。

その時背後から近寄って来る足音が聞こえて、続いて高明の声がした。

「どうしたんだ、社長はまだお休みなのかい？」

高明は成田たちの後ろに立って、室内に目をやった。そしてその瞬間、声にならない悲鳴を喉《のど》の奥から絞り出した。

2

「外に出ましょう」

成田は、しゃがみ込みそうになっている江里子の身体を支え、まだ声を失ったままの高明を押して書斎を出た。出る時に彼は灯《あか》りを消した。窓の外から誰かが死体を見て、混乱を招くのを防ぐためである。

「鍵も掛けたほうがいいな」

成田は江里子からキーを受け取ると、それでドアの鍵を掛け、再びキーを彼女に返した。

「とりあえずほかの部屋に行って、善後策を考えるとしましょう。こんなところでうろうろしていたら、人が変に思いますよ」

「善後策って……」

江里子が辛うじて声を出した。

「説明はあとです。どこかに部屋はありますか？」

「応接間がいい。誰も来ないはずだ」

高明が言った。

「じゃあ、すぐに行きましょう。それから相談です」

成田の真意がつかめず戸惑い気味の二人の背中を押して、成田は足早に歩き出した。極めて拙《まず》いことになった。何か手を考えなければ――彼は素早く頭を回転させていた。

一方のソファに高明が、もう一方に江里子がそれぞれすわり、その二人を均等に見られる位置に成田は立った。ドアには鍵を掛けてあるし、この部屋の防音効果については高明が保証した。

「なぜ社長が自殺を……」

唸《うな》るように高明が言った。

「最近は躁鬱《そううつ》病の気配がありましたからね、さっきの奥様とのこともあるし、衝動的なものかもしれません。それより……」

成田は呆然《ぼうぜん》としている二人を見て言った。

「どうしましょうか？」

「どうするったって、警察に届けるしかないだろう」

高明が溜息《ためいき》をつきながら言った。「こうなったものはしかたがない。できれば社長が自殺なんていう醜態は世間に晒《さら》したくはないのだがね」

だが江里子は激しく首を振った。

「だめよ、そんなこと。それだけは絶対にだめ」

「どうして？」

と高明。

「だってあたしは、正木の正式な妻じゃないのよ。今、あんな形で死なれたら、あたしには一銭も入って来ないじゃないの」

江里子は髪を下ろし、その上から頭をくしゃくしゃと掻《か》いた。高明は彼女のそんなようすを途方に暮れて見ていたが、やがて唇の端を曲げて薄く笑った。

「やむを得ないだろうねえ。まあ不運だと思って諦《あきら》めるしかない。考えてみれば自業自得だよ。しかし社長はあんたを受取人にして、かなり多額の生命保険に入っていただろう？額は詳しくは知らないが、まさか億は下らんだろう。まあそれで納得しておくことだね」

保険金のことを思い出したからか、江里子は少し表情を和らげた。受取金額は、総額三億円——成田の記憶ではそうなっていた。しかし成田は苦い顔つきで宣告するように言った。

「自殺の場合は契約してから一年以上経たないと保険金は出ません。社長が江里子さんを受取人にして契約を開始されたのは、去年の誕生日から二、三日してからですから、このまま自殺として処理されると、江里子さんには何も入らないことになります」

さっき成田が、極めて拙いこと、と思ったのはこれがあったからだった。

「じゃああたしには遺産も保険金も入らないの？」

江里子がヒステリックにわめいた。

「そうなります」

「いやよ、そんなの」

江里子は再び髪を掻きむしり、言った。

「あんな爺さんと一年近くも付き合ってきて、何にも貰《もら》えないなんてひどいじゃない」

「運が悪いんだ」

高明の声は冷めていた。

「そうだわ」

江里子はすがるような目で成田を見た。

「誰かに殺されたように見せかけられないかしら？　それなら保険金は出るはずだわ」

「だめだね、それは」

成田が答えようとする前に、高明が口を挟んだ。「そんなことをしたら警察が嗅《か》ぎまわって、かえって話がややこしくなる。どうせなら、事故死に見せかけるんだね。そうしてくれれば、正木家の世間体も保てるし、君にも保険金が入るだろう。うん、これはなかなかいい手だぞ」

「だめです」

と、これは成田だ。彼は二人の顔を代わる代わる見てから、落ち着いた口調で、「他殺も事故死もだめです」と付け加えた。

「なぜかね？」

「バレます」

と成田は高明の顔を真っすぐに見て答えた。「絶対にバレます。どう巧《うま》く偽装しても、警察が首吊り自殺の死体を他殺や事故死と判断することはあり得ません。ロープの痕《あと》を見ても明白でしょうし、鬱血状態などからも簡単に判断することができます」

「そんなに簡単にわかるのかね？」

「簡単です。一般に自殺か他殺かの判断はむずかしいものなのですが、縊《い》死《し》と絞死の判断は法医学の基礎です。警察学校の教科書にだって出て来ます」

高明は江里子に両手を広げて見せた。

「だめらしい」

彼女は成田の説明に、自分の思いつきに対する期待は捨てたようだが、それでも諦めきれぬように、

「何か手はないかしら？」

と成田を見た。

成田は、その鋭い目を高明に戻した。

「江里子さんの保険金問題や、正木家の世間体もそうですが、副社長にとっても今ここで社長の死を公表することは不利かもしれませんね」

高明は怪《け》訝《げん》そうに目を細めて、成田の顔を見返した。

「不利……とは？」

「まず遺産です。今のままですと、文江奥様が二分の一を相続されることになります。そして残りの二分の一を、副社長の奥様と専務とで分けられるということになります」

「どうして？　離婚したじゃない」

「離婚届が役所に提出されないと認められません。常識です」

文江が藤次郎との離婚を承諾したのには理由があった。彼女の兄が事業に失敗して、多額の負債を抱え込んだからなのだ。彼女は藤次郎からの慰謝料を兄に融資しようとしたわけだが、もしここで藤次郎の死亡が明らかになれば、離婚の意思を撤回することは明白だった。

「まず遺産……と言ったね」

高明は慎重な顔つきになって成田に尋ねた。「そのほかには、どういうデメリットがある？」

成田は彼の方を向いて、「これは単なる危惧《きぐ》にすぎないかもしれませんが」と前置きした。

「その気になれば、文江奥様が会社の実権を握ることも可能だということです。たとえば奥様の実の息子さんである正木専務を社長に抜擢《ばってき》することもあり得ます」

「……そうか」

高明は成田から目をそらすと、小さい唸り声を出した。「あの母子《おやこ》で、義父の財産の四分の三を相続するわけだからな」

「おわかりいただけましたか？」

「わかった」

高明は深く頷《うなず》いた。「わかったが、どうしようもないだろう？　それとも君に何か妙案があるのかね？」

成田は軽く息を吸い込んだ。

「その事態を避けるには、方法はひとつしかありません。社長の死の公表を遅らせることです。そしてその間に文江奥様との離婚を成立させ、しかるのちに公表するのです」

「しかし、死体を故意に隠していたことがバレては拙いだろう？」

「もちろんです。そこで社長は、明日からご旅行に出られることにします。そして何日後かに行方不明になったことにするのです。死体が発見されるのは一か月後ぐらいがいいですね。そのぐらい時間が経てば、二、三日のずれはごまかせるでしょう。場所は軽井沢《かるいざわ》の別荘の近くがいい。たしか、深い森がありましたよね」

「やはり、首吊り自殺で……かね？」

成田は深く頷いた。

「そうです。この点に関しては小細工は危険ですし、必要もないと思います。警察も世間も、そこで初めて一人旅の意味を知ることになるでしょう」

高明は腕を組み、眉間《みけん》に皺《しわ》を寄せて宙を睨《にら》んでいた。彼は彼なりに、この危険な賭《か》けにおける勝算を考えているのかもしれなかった。

成田は、先程から呆然《ぼうぜん》とした表情で彼の話を聞いていた江里子を見た。

「どうですか、江里子さん？」

彼女はゆっくりと彼を見上げた。

「成功するかしら？」

「確証はありません。ただ、三日後の時点で会長が生きていたという実績さえ巧く作れれば、多少保険会社の追及があるにせよ、最終的には金は支払われると思うのです。あとは、やるかやらないか、それだけです」

「やるわ」

と江里子は即座に答えた。「失敗して元々だもの、やらなきゃ損だわ」

「副社長は？」

成田は高明に訊《き》いた。彼は自分の丸い顎《あご》を二、三度なでたあと、

「やらざるを得ないだろうね」

と重い口調で答えた。

「決まりました」

成田は努めて冷静に言った。「そうなると、まず今夜のこれからをどう繕うかです。このまま知らぬ顔を決め込むのもひとつの手ですが、最後に社長と会ったのがわれわれ三人だけというのが少し気になりますね。もう一人、誰かを証人につけたいところです」

「私は反対だね。秘密を共有する人間は少ないほうがいいに決まっている」

するとは成田はニヤリと白い歯を覗《のぞ》かせた。

「もちろん、これ以上仲間を増やすつもりはありません。それでは意味もありませんしね。私が言っているのは、社長の生存を実際に第三者に確認させておくということです」

「社長の生存？　何を言っているんだ。社長はあのとおり死んでいるじゃないか」

「だから」

と成田は自分のこめかみのあたりを指差した。「頭の使いようです」

応接間を出た三人は、再び藤次郎の部屋に侵入した。藤次郎の枯れた身体が、まるで作り物のようにぶら下がっている。江里子は壁の方を向いたままで、死体を見ようとはしなかった。

「まず死体を下ろしましょう」

「手伝おう」

成田と高明は二人がかりで藤次郎の身体を下ろした。首に巻きついているのは紅白の派手な紐《ひも》だ。成田は、何の紐だろうと思っているうちに手を滑らせて、藤次郎の頭を床に落としてしまった。

「気をつけろ、大丈夫か？」

「大丈夫です。すみません」

成田はあわてて持ち上げたが、その時に床に何か白いものが転がるのが見えた。それは藤次郎の前歯だった。差し歯なのだ。成田はそれを空いているほうの手で拾うと、自分の背広のポケットに入れた。

藤次郎の身体を部屋の隅にあるベッドに乗せると、上から毛布をかぶせた。

次に成田は、藤次郎の机上電話に接続してあるテープレコーダーを操作し、テープの中身を再生した。藤次郎のしわがれた声と、男の低い声がスピーカーから流れて来た。藤次郎と男は、品物の流通経路について論じているようだった。

「相手は営業部長だね。話の内容はだいたいわかるよ」

高明が言った。藤次郎は重要と思われる場合には、必ず電話の内容を録音する習慣があるのだ。

「では部長の声だけ消しますから」

成田は慎重にテープを送りながら、藤次郎と話している相手の男の声だけをテープから消去した。つまり出来上がったテープには、藤次郎の声だけが適当にインターバルを置いて吹き込まれていることになる。

そこまでの作業を終えると、成田は受話器を取って台所に回した。お手伝いの麻子《あきこ》の声が耳に入って来た。

「麻子さんですか、成田です。すみませんが、コーヒーを一つ社長の部屋まで持って来てください。はい、一つで結構です」

すぐにお持ちします、と麻子が言うのを確認してから成田は受話器を置いた。

「すぐに彼女が来ます。準備しましょう」

準備とは――。

まず江里子は、藤次郎のガウンを羽織り、彼が愛用の毛糸の帽子を頭に深くかぶった。そして、入口のドアを背にして置いてあるソファにすわり、ガウンの肘《ひじ》のあたりが見える程度に姿勢を崩した。

高明はその斜め前にすわる。ドアから江里子の位置まで数メートルあるので、入口のところからだと、ちょうど藤次郎と高明が話しているように見えるだろう。そして二人の足元には、テープレコーダーをセットする。

「完璧《かんぺき》ですね」

成田は満足して頷いた。ちょうどその時、ドアをノックする音がした。高明がテープレコーダーのスイッチを入れ、藤次郎のしわがれた声が出て来る。

成田は深呼吸してからドアを開けた。髪を後ろで束ねた、化粧っ気の少ない麻子の顔が、間近にあった。コーヒーの香ばしい湯気が、彼女の前に立ち昇っている。

「コーヒーをお持ちしました」

「ごくろうさん」

成田は後ろを振り返った。そこではテープレコーダーから出て来る藤次郎の声に対して、高明が必死の一人芝居を演じている。

「いくら安くても品質を落とすことは許さん」と藤次郎の声。

「品質を落とすわけではありません。手を広げるだけです」と高明。

「とにかく今回は今までどおりでやっていく」と藤次郎。

成田は麻子に苦笑をつくって見せ、小声で、

「これは僕が預かっておこう」

と言って盆を受け取るしぐさをした。麻子は小さく頭を下げ、「じゃ、お願いします」

と言って盆を渡した。

麻子が行ってしまったのを確認してから成田は、薄く開けていたドアを閉めた。

「お疲れさまでした」

この声を合図に二人の演技者は立ち上がった。

「緊張したわ。実際の声とずいぶん違うものなのね」

「多少はやむを得ませんね。でもテープの声だと知っているから気になるのであって、彼女は気づいていなかったようです。とにかく後片付けを急いでやってしまいましょう」

成田は江里子からガウンと帽子を受け取ると、それを無造作にソファの上に置いた。このほうが自然だと思ったからだ。

江里子はコーヒー・カップを持つと、まだ湯気の立っている中身を窓から外に捨てた。

「ミルクは白いから目立つわね」

江里子はそばにあったティッシュの箱から一枚抜き取ると、ミルク・ピッチャーの中身

をそれにしみ込ませて屑《くず》入れに捨てた。

高明はテープレコーダーを元の位置に戻すと、中からテープを抜き取り、代わりに机の上に置いてあった他のテープを入れた。そしてそのあと、各地の支店を視察する時のような調子で、部屋の中を点検してまわった。

「オーケーのようだ」

「窓の鍵《かぎ》は？」

「しっかりと掛けたよ」

「じゃあ、とりあえず部屋を出ましょう」

三人が部屋を出ると江里子がドアに鍵を掛け、三人はそのまま応接間に向かった。

時刻は九時半を少し回っていた。

応接間に入ってから、成田は高明に言った。

「われわれが一緒に会場に戻るというのも変ですので、とりあえず副社長がお戻りになってください。数分後にわれわれも戻ります。誰かと話す機会があれば、社長のようすを見に行ったら思わぬ仕事の話をさせられてしまったとグチの一つもこぼしておいてください。社長の死体の始末は、宴会が終わってからということにしましょう」

「わかった」

高明はゆとりのないしぐさで頷《うなず》くと、ドアを開け、外のようすを窺《うかが》ってから出て行った。

これで新社長に点数を稼いだ、と成田は内心ほくそ笑んだ。もともと彼は正木家の縁故で秘書にしてもらったのではない。藤次郎に個人的に気に入られたにすぎないのだ。役員の中には彼をスパイのように見る者も少なくない。今ここで藤次郎がいなくなって一番苦しくなるのは、彼かもしれないのだ。

――点数を稼いだというより、弱みを握ったってところだな。

成田にとってこの偽装には、こういう狙いがあったのだ。

彼はドアのところに行くと、もう一度鍵を掛け、「サイは投げられました」と江里子の方を振り向いて言った。

彼女は頼りない足取りで彼に近づくと、まるで病人のように身体を彼に預けた。

「大丈夫かしら？」

「大丈夫ですよ」

成田は彼女の肩を両手で摑《つか》むと、優しく支えた。「問題はあなたの決意と勇気です。それにすべてがかかっています」

「何をすればいいの？」

「いろいろです。むずかしいことも多いですが」

成田は彼女の身体から離れると、部屋の中を見まわした。「社長は明日の朝早くに、ここを出発することにしましょう。そうすると、今夜のうちに旅行の準備をしておく必要があるわけですが」

「宴会が終わったら、すぐに始めるわ」

「それから……」

成田はちょっと言いにくそうに口を閉じ、そしてまた続けた。「社長は車で出発されたことにします。そうなると社長の車がガレージに残っているのは拙《まず》いでしょう。あなたはたしか運転ができましたね？」

「ええ……」

「申し訳ありませんが、車を軽井沢まで運んでもらえないでしょうか？」

「それはいいけど……もしかして……」

江里子の顔に不安の影がよぎった。成田は彼女の目を真正面から見据えた。

「そう、その時に社長の死体も運んでほしいのです。もちろんトランクまでは私が運びますが……。あなたは何も考えず、運転だけしていればいいのです。そして車は向こうへ乗り捨ててくれれば結構です。後日私が後始末をしますから」

江里子の目には、戸惑いと躊躇《ちゅうちょ》と、そして恐怖が浮かんでいた。酷なのは百も承知、と成田は目をそらさない。やがて彼女は諦《あきら》めたように首を縦にゆっくりと動かした。

「わかったわ。もう、開き直るしかないのね」

「お願いします」

成田はもう一度彼女の身体を抱き締めた。

「今日は皆さんお忙しいところ、本当によく来てくださいました。おかげで社長も、気持ちょく誕生日を迎えることができたとおっしゃっておられます。本来ですと、社長のほうから一言いただきたいところなのですが、少しお疲れになったとかで、このまま失礼したいということでした……」

高明の挨拶《あいさつ》が終わって、宴会はお開きになった。時間は十時。客たちは帰って行くが、会場係の連中は後片付けが終わるまで帰らない。成田は江里子に旅行の準備をするように言った。

「誰にも見つからないように。部屋には鍵を掛けて」

「わかってるわ」

彼女の頰は少し紅潮していた。

江里子の姿が消えるのを待っていたように、高明の妻涼子《りようこ》が成田に近づいて来た。

「お父様の加減はどうなの？」

「少しお疲れになっただけだと思います。書斎のソファで休んでおられるようですが……」

「そう」

涼子は成田の顔から目をそらすと、藤次郎の部屋がある方向とは逆に廊下を歩いて行った。高明と涼子の部屋は、そちらにあるのだった。

会場がすべて片付けられ、誰もいなくなるのを確認してから、成田は再び長い廊下を歩いた。応接間のドアの前に立つと、音が響くのを意識しながらノックする。声の返事はなく、代わりにドアが数センチ開かれた。高明の鋭い目が隙間から覗《のぞ》き、それから彼は応接間を出た。

「書斎の鍵は？」

あたりのようすを気にしながら高明が訊《き》いた。

「ここにあります」

成田は、さっき江里子から受け取っていた鍵を高明に渡した。

「じゃあ、死体を運ぶとするか」

高明の声はさすがに上《うわ》ずっていた。

二人が藤次郎の部屋に向かって歩き出した時である。前方でドアをノックする音が聞こえた。「大旦那様《おおだんなさま》」という声もあとに続く。

高明と成田は顔を見合わせた。誰かが藤次郎の部屋をノックしているのだ。

二人が急いで行くと、お手伝いの麻子がドアのノブをガチャガチャやって首を捻《ひね》っているところだった。高明が駆け寄りながら声をかけた。

「何をやっているんだ？」

彼の声があまりに大きかったからだろう。麻子はぎくりとしたように身体を硬直させ、青ざめた顔を二人の方に向けた。

「大旦那様に、水差しを……。そうしたら鍵が掛かっていて……」

彼女は盆に載った水差しとコップを高明たちに見せた。

「今夜はいい」

右の掌《てのひら》を振りながら高明が言った。「社長はお疲れなんだ。今夜はいらない」

麻子は戸惑ったように水差しと二人の顔を見較べていたが、高明の命令なら迷うこともないと割り切ったのか、

「じゃあ、これで帰らせていただいてよろしいですか？」

と訊いてきた。彼女は藤次郎が懇意にしている問屋の娘だが、花嫁修業のつもりで、ということでこの家に来ている。そして彼女の一日の最後の仕事が、水差しを藤次郎の部屋に運ぶことだった。

「ああ、気をつけて帰りなさい」

高明が言うと、麻子は安堵《あんど》したような溜息《ためいき》をつき、「失礼します」と言って廊下を歩いて行った。水差しとコップの、カチャカチャという音が遠ざかって行く。

成田は不安気な顔つきで高明に訊いた。

「ほかに社長の部屋に来る者はいないでしょうね？」

「徳子《とくこ》という住み込みの婆さんがいるが、社長の世話はしない。大丈夫だ」

成田は納得したように頷き、麻子が去って行った方を眺めていた。自分たち二人に、ただならぬようすを察していなければいいが……。

その時、成田の背後でカチリと鍵の音がした。

3

翌朝、正木家は大騒ぎになった。食堂に集まった、高明・涼子夫妻とその長男の隆夫《たかお》、長女の由紀子《ゆきこ》、次女の弘美《ひろみ》、藤次郎の内縁の妻江里子、秘書の成田、お手伝いの麻子、婆やの徳子の計九人は、皆それぞれに複雑な表情を浮かべていた。

「つまり」

涼子が江里子を睨《にら》みつけるようにして、訊いた。「お父様が、おられないことに気づいたのは、今朝になってからだというのね？」

「ええ」

江里子も負けずに、彼女の目を見返しながら顎《あご》を引いた。

「昨晩はどうだったの？　宴会のあとで、お父様の部屋には行かなかったの？」

「行きましたけど、鍵が掛かっていたし、眠っておられるようだったので、そのまま自分の部屋に戻ったんです」

「そう」

涼子はしばらく江里子の顔を冷静そうな目で見つめ、それから視線を自分の夫に移した。

「あなたが、最後にお父様にお会いになったのは、いつでしたかしら？」

高明は椅子にすわり、腕を組んだ姿勢のまま答えた。

「宴会の途中だよ。お開きの前に一言挨拶していただこうと思って、部屋に行ってみた。社長は椅子に腰かけて葉巻きをやっておられた。挨拶をお願いしたんだが、疲れたから適当にやっておいてくれと言われたんだ。そのあと、少しだけ仕事の話をしたな。成田君と江里子さんも一緒だったよ」

「おっしゃるとおりです」

高明の横に立った成田が、軽く頭を下げながら言った。「たしか、麻子さんにコーヒーを持って来ていただいた時だと思いますが」

成田が視線を向けると麻子は身体を固くして、「そうです」と答えた。

「あたしが行った時、大旦那様と旦那様が話しておられました」

「それからあとは誰も会っていないのね？」

涼子が全員を見まわしながら言った。誰も何も答えなかった。三人の子どもは、自分とは関係のない話だと言わんばかりに、露骨に退屈そうな顔をしている。三人は、昨夜の宴会にも出席していないのだった。

彼女は再び若いお手伝いを見た。

「麻子さん、あなた、いつも水差しを運ぶことになっているでしょう？」

麻子はちょっとうろたえ、それから少し吃りながら、

「それが、部屋に鍵が掛かっていてノックをしてもお返事がないんです。それでどうしようかと思っていたら旦那様が見えて、社長はお疲れだろうから今日はいいとおっしゃった

ものですから、そのまま失礼させていただきました」

と答えた。「そのとおりだよ」と高明も言った。

「そうすると」

涼子は思慮深げに眉間《みけん》に皺《しわ》を寄せながら、宙を見据えた。「お父様は、宴会の途中から今朝までの間に、どこかに出て行かれたということになるわね。でもいったいどこに……。江里子さん、あなた本当に何も心当たりがないの？」

「ありませんわ」

責めるような涼子の口調に、江里子は少しむっとして答えた。

「お母さん、僕たちはもういいんじゃないかな」

この時、長男の隆夫が、兄妹《きょうだい》の意見を代表するように言った。「僕たちは昨夜はおじいさまに会ってないんだし、おじいさまが突然どこかへ出かけたとしても、僕たちに心当たりがあるはずもないでしょう？　ここにいる必要はないと思うんだけど」

妹の由紀子と弘美も、そのとおりだと言わんばかりに頷《うなず》いている。

涼子はしばらく隆夫たちの顔を見ていたが、彼らの言い分にも一理あると思ったのか、結局子どもたちは行ってよいということにした。

「警察に届けましょうか？」

子どもたちが去ってから、それまで黙っていた婆やの徳子が提案した。彼女がこの家で働くようになって三十年近くになる。それだけにある意味では、涼子の次に発言力のある存在といえた。

「今すぐ騒ぐのは、あまりよくないわ」

涼子が言った。「お父様が気紛《きまぐ》れでどこかへ出かけられただけかもしれないし、もう少しようすを見ましょう」

「それに社長が行方不明だということが社員たちに知れると、会社の運営のほうにも支障をきたすしね」

高明も涼子に同調した。

結局、今日一日、ようすを見るということで解散となった。

高明は出社したが、成田は正木家に残り、応接間の電話を使って藤次郎の立ち寄る可能性のある場所に片っ端から問い合わせた。もちろん彼には、そういう努力が無駄であることはわかっている。だが隣りで涼子が心配そうに見ているし、藤次郎を捜す努力を何もしないのでは怪しまれるので、この演技をやめるわけにはいかなかった。

「そうですか……はい、わかりました。どうも失礼いたしました」

何度目かの電話を切り、成田は涼子に首を振って見せた。彼女は小さく溜息をつき、目を伏せた。

「仕事関係で社長が立ち寄りそうなところは、これですべて当たったことになりますが」

「ごくろうさま。私はこれから親戚《しんせき》関係のところに連絡してみます」

涼子と電話を代わり、応接間を出ると、成田は江里子の部屋に行った。江里子には二階の一室が与えられているが、彼女は絨毯《じゅうたん》を敷きつめた床の上に、途方に暮れたような顔をしてすわり込んでいた。

「あっ、成田さん」

彼女は救いを求めるような目で彼を見上げた。

「予想外でしたね」

成田は溜息をつきながら彼女の隣りに腰を下ろして、煙草に火を点《つ》けた。「まさか社長の車が故障していたとは知らなかった。最近はずっと会社の車を使っていましたからね」

「このあとはどうしたらいいのかしら?」

「社長の旅行用の荷物は片付けましたか?」

ええ、と江里子は力なく頷いた。

「それならばもう、あなたは何もしなくて結構です。今までどおり、何も知らないことにしておけばいいのです」

「でも大騒ぎになってしまったわ。涼子さんの口ぶりだと、いずれ警察沙汰《ざた》になりそうな気配だし、そんなことになったら、あたしたちの計画がバレてしまうわ」

「その点に関しては、しばらくは大丈夫だと思います。副社長がそんなことはさせないでしょう」

「それはそうだと思うけれど」

「開き直ることです。お金が欲しくないのですか?」

「そりゃあ……欲しいわ」

「だったら言うとおりにしてください。とにかく私は役所に行ってきます」

まず離婚を成立させておくこと――それが当面為《な》さねばならないことだった。

ところが成田が江里子の部屋を出た時、正木友弘から電話が入っていると麻子が知らせに来た。成田は嫌な予感がした。

果たして友弘の用件は、離婚届の提出を見合わせてくれというものだった。

「どういうことでしょうか?」

成田は気持ちを落ち着かせながら訊《き》いた。

「いや、昨夜あれから母親のところに電話してね、本当に離婚していいのかどうか問い質《ただ》したんだよ。そうしたら本人も後悔していてね、もう一度考え直したいということだった。まあ離婚届にサインはしたが、提出までの間に気が変わったのだからかまわないだろう。本来なら離婚届の不受理申出とかいうのを役所に出せば、その後の離婚届は受理されないらしいのだが、君に言っておけば、そういう手間は不要だと思ってね」

「なるほど」

成田は電話口で唾《つば》を飲み込んだ。「わかりました」

「じゃ、よろしく頼む」

「失礼いたします」

受話器を置いてから成田は、やられたなと思った。成田が電話をかけた会社関係者から聞いたか、それとも涼子が問い合わせた親戚筋から情報を得たのかはわからないが、おそらく友弘は藤次郎が行方不明になったことを知ったのだろう。行方不明となると死亡の可能性も出て来る。そうすると文江・友弘母子《おやこ》にとっては願ってもない遺産相続のチャンスなわけだ。そこまで考えて、あわてて翻意を伝えて来たのだろう。

こうなると高明に恩を売っておくという作戦のほうは、諦《あきら》める必要があるかもしれないと成田は思った。あとは江里子に入るはずの保険金をアテにするしかなくなったわけだ。

——やるしかないな。

成田は決意を新たにしていた。


この夜食堂にて、再び家族会議が行なわれた。今朝の九人に加え、友弘と彼の妻の澄江《すみえ》が同席していた。

「お嬢様、やっぱり警察に届けたほうがいいと思います」

徳子が涼子に言っている。それに反対しているのが高明だ。

「状況から見て、社長はご自分の意思で行方をくらまされた可能性もある。警察沙汰にするのは賛成できないね」

「しかし、そんなことをする目的がわからないな。誰かに連れ出されたというセンのほうが強いと思うんだがね」

これは友弘だ。彼としては、どういう経路にしても藤次郎の生死を早く確認したいというところだろう。

「連れ出すったって、どうやって？　ここは無人の館《やかた》じゃないんだよ」

と高明。

「無理矢理はだめとしても、騙《だま》して家を出させるというのは可能なんじゃないか。やり方はあると思うがね」

「それならなおさら警察は拙《まず》い。社長を連れ出したのは、身内か、あるいは相当の顔見知りということになるからな」

彼らが議論をしている間、涼子は黙ってそれを聞いているだけだった。警察に届けるべきかどうかを熟考しているのか、まったく別のことを考えているのか、それは傍目《はため》にはわからなかった。

「姉さん、どうされるのですか？」

友弘が涼子に詰め寄った時、門のインターホンが鳴った。何人かの顔が、電気を通されたようにビクリとひきつった。

「誰なんだ、こんな時間に」

いまいましそうに高明が言うのを聞きながら、徳子がインターホンの受話器を取った。そしてしばらく小声で話していたが、やがて涼子のところへ行って耳元で何かを囁《ささや》いた。涼子は頷いて言った。「応接間にお通ししなさい」

「涼子」

高明が不安そうな顔で、彼の妻を見た。彼女は平然としている。さらに彼は何かを言おうとしたが、結局口を閉ざしてしまった。

成田も徳子に続いて玄関の方に行った。

玄関先に現われたのは、黒っぽいスーツを着た長身の男と、同じような色のジャケットを羽織った女だった。男は三十代半ばといったところ、顔の彫りの深さは日本人ばなれしている。女は二十代後半ぐらいかと成田は踏んだ。真っ黒な髪は肩まで達していて、目は切れ長、口元も引き締まっていて、間違いなく美人の部類に入る――。

「奥様はご在宅でしょうか？」

男の方が、よく通る声で訊いてきた。徳子がそれに対して答えようとした時、奥から涼子が現われて来て言った。

「お待ちしていました。さあ、どうぞ」

4

「探偵？」

高明の頓狂《とんきょう》な声に対し、「の、ようなものです」と男は落ち着いた口調で答えた。

「正確にいうとメンバー制の調査機関なのですが、オーナーの方々には『探偵倶楽部《くらぶ》』という愛称で呼んでいただいております」

「親父は、そのクラブのオーナーの一人だったのかね？」

「そうです」

と探偵は友弘に答えた。「正木社長には何度かご利用していただいております。主に素行調査でしたが」

「知らなかったな」と高明。

「当然です」

と探偵はそっけなく言った。「それでなくては意味がありません」

「人捜しもやっていただけるのかしら？」

涼子が訊くと、探偵は深く頷《うなず》いた。

「今回はオーナーの方が行方不明になっているわけですから、とくに力を入れさせていただきます」

「おいおい、姉さん」

友弘はうんざりしたような顔をした。「本気でこんな連中に頼む気かい？　これならわれわれだけで捜したほうがマシだという気がするが」

すると探偵は、その首を機械仕掛けのような動きで友弘に向けると、

「皆さんにとって一番いい方法は警察に届けることだと思います。そして二番目にいい方法はわれわれに仕事をお任せになることです。参考までに言いますと、最悪の方法が素人

判断で動くことです」

と言った。クスリと誰かが笑いを漏らした。友弘は渋い顔をしている。

「今のお言葉で、さらに安心しましたわ」

涼子は無表情な顔に、口元だけを緩めて見せた。「ぜひ、お願いしますわ。——成田さん」

「はい」

「最近のお父様のことについては、あなたが一番詳しいでしょうから、探偵さんと一緒に行動して必要な情報提供をしてください」

「わかりました」

「おい涼子、本気なのかい？」

高明が探偵たちと妻を見較べて言った。その彼の視線を、涼子は鋭い目で返して言った。

「ええ、本気ですわ」


妙なことになったと思いながら、成田は藤次郎の部屋で探偵たちと向かい合っていた。涼子と江里子も隣りにすわっている。まさか涼子がこんな連中を呼ぶとは、成田は想像もしていなかったのだった。

藤次郎が、何かある種の調査機関を持っているらしいということは、成田も薄々感づいてはいた。社員の非行、とりわけ収賄については、驚くほど敏感なアンテナを持っていたりしたのだ。自分の素行を調べられていた可能性もある、と彼は一瞬背筋が寒くなるのを感じた。

「まず」

探偵は部屋の中を一通り見てまわったのち、後ろで手を組んだ姿勢で成田たちに言った。

「ここでお伝えしておかねばならないことは、残されたすべての手掛かりを考慮した結果、藤次郎氏はご自分の意思で屋敷を出られたのではなく、何者かによって連れ去られたらしい、ということです」

成田の横で、涼子が深く息を吸いながら姿勢を正した。探偵は彼女の反応を多少気にしたようだが、声の調子はまったく変えずに話を続ける。

「その根拠については、のちほどご説明いたします。とにかく今考えねばならないことは、いつ、誰が、何のために、どこへ藤次郎氏を連れ去ったのかということです。まず『いつ』ということから推理してみましょう」

そして探偵は真っすぐに右手を伸ばすと、人差し指で江里子を差した。「あなたなら、どう推理されますか？　藤次郎氏は、『いつ』さらわれたのか……を」

突然指名された江里子は目の縁を赤らめるほどうろたえていたが、なんとか態勢を整えたのち、

「それはたぶん……深夜じゃないのかしら」

と答えた。探偵は、なるほどというように頷いたあと、

「昨夜と今朝の、戸締まりはどうだったかな？」

と助手に訊《き》いた。この、黒い服を着た助手の女というのが、成田にとっては先程から気になってしかたがないのだった。探偵がしゃべっている間もずっと、部屋の細部の観察を続けているのだ。今も、壁際の棚に置きっぱなしになっている、昨夜のコーヒー・カップをしきりに眺めていた。

助手の女は、ふいに質問を受けたにもかかわらず落ち着いた手つきでメモをめくると、

「さっき徳子さんから伺ったところでは、彼女は昨晩十時頃すべて施錠し、今朝もその時のままだったということでした」

と歯切れのよい調子で読み上げた。

「その中で外側から施錠が可能なのは？」

「玄関だけです。あとはすべて内側からしか施錠できません」

「結構」

探偵の声を合図のように、助手の女は再び観察を開始した。

「この部屋の窓にも鍵が掛かっているし、もし藤次郎氏を夜中に連れ出すとすれば、玄関からということになりますね。しかしこれは、いくら大胆不敵な犯人でも無理でしょう。となると、犯行は十時以前に行なわれたと考えるべきのようです」

「宴会のお客様がお帰りになられた頃だわ」

涼子が言った。「お客様の中には車でいらした方も多かったし……もしかしたらあの中

に犯人が……」

「妥当性のある考え方ですね。人を連れ出す場合、車はもっとも有効な手段です」

「失礼ですが」

成田は探偵の無表情な顔を見上げて言った。「そこまでなら素人にも判断がつくと思いますね。外部からの侵入者が社長を拉致《らち》して行ったのだとは、誰も思っていません」

だが探偵は相変わらず感情のない声で、「話の順序ですから」と断わっただけだった。

「さて、最後に藤次郎氏が皆さんの前に姿を見せたのが、九時半頃だということですから、それから約三十分の間に犯行は為されたことになります。しかし藤次郎氏を、その入口のドアから連れ出すというのは不可能でしょう。いや、不可能ではないにしても危険です。犯人が選択する手段とは考えられません。つまり藤次郎氏は窓から連れ去られたということになります。そうなると氏の状態がどんなふうであったか、だいたい察しがつきますね。気を失っていたか、手足を縛られていたか、いずれにせよ抵抗不能の状態だったと想像します。ここで、犯人が昨夜どういう行動をとったかを推理してみましょう」

探偵はゆっくりとした足取りで入口のドアのところまで歩くと、そこでくるりと体を返した。

「犯人は宴会場にいたとします。九時半を過ぎた頃、彼はこの部屋にやって来て藤次郎氏に会います。二人の間にどういう会話が交わされたかは不明ですが、その会話によって藤次郎氏が油断を見せたことは確実だろうと思います。隙を見た犯人は、クロロホルムを嗅《か》がせるなどの方法で藤次郎氏の身体の自由を奪い、氏を窓から外に出します。そのあとは、窓に鍵を掛け、ドアも施錠して何くわぬ顔で宴会場に戻るというわけです。ただここで問題なのは、ドアのキーですが……」

探偵がここまでしゃべった時、涼子は何かを思い出したように立ち上がると、突然藤次郎の机の中を探り始めた。成田はそのようすを横目で見ていた。

「ないわ、やっぱり」

「何がですか？」と探偵。

「キーホルダーです。父の関係の鍵《かぎ》は全部そこに付けてあったんですけど……」

「そこには、この部屋の鍵も付いていたんでしょうね？」

「ええ、もちろん」

探偵は頷き、助手の女に目配せした。彼女は即座に何事かをメモした。

成田は内心ほっとしていた。キーホルダーを隠しておいてよかったと思う。もしそれが見つかったら、犯人はどうやってこの部屋を出たかという大きな謎が生まれてしまうところだった。

「キーの問題が解決しましたので、話を先に進めます」

何かの効果を狙ったつもりなのか、探偵は軽く咳払《せきばら》いをした。

「犯人に共犯がいた場合、共犯者が窓の外に放り出された藤次郎氏を車に積んだでしょうし、単独犯の場合は犯人自身が玄関から裏庭にまわって氏の身体を回収したであろうと思います。そしていずれにせよ犯人は、他の宴会客が帰るのに混じって、この邸を脱出したというわけです」

質問はないか、というような目で探偵は自分の依頼者たちの反応を窺《うかが》った。いつの間にか助手の女も探偵の横に立って、三人を見下ろしていた。

「推理はいいと思いますよ」

と成田が言った。「おそらくそういう手段が用いられたのでしょうね。しかしそこから犯人を割り出せますか？」

すると探偵は珍しく口元を緩めて、「私は無駄なことはしない主義なのです」と言った。

「今の推理から犯人はだいぶ絞れると思います。まず九時半から十時の間に、宴会場とこの部屋とを往復した人間。次に車を利用した人間。そして最後に、藤次郎氏がかなり親しく付き合っていた人間、ということになります」

5

翌日の昼過ぎ、成田が社長室で書類の整理をしていると、受付から来客の知らせが入った。受付嬢はちょっと声を落として、

「黒いスーツを着た、背の高い男の人です。クラブの者だと言えばわかるとかで……」

と教えてくれた。成田はうんざりしたが、すぐに行くから来客室に通してくれと受付嬢

に命じた。
カーテンで仕切られただけの簡単な来客室では、昨夜の探偵だけが無表情ですわってい
た。助手の女はいない。そのことが成田を少し不安にさせたが、彼は敢《あ》えてそんなことは
気になっていないふうを装った。
「何かわかったのですか？」
テーブルを挟んで探偵と向かい合うなり、彼は訊いた。探偵は彼の顔を二、三秒眺め、
「ええ、まあ」と意味ありげに頷《うなず》きながら、傍らの鞄《かばん》の中からメモ帳を取り出した。助手
の女が持っていたものと同じものだ。
「午前中、『花岡《はなおか》』という仕出し屋に行ってきたのですよ。一昨日の宴会料理を準備した
店です。そこの店員から、ちょっと面白い話が聞けました」
「面白い話？」
成田は少し身体を固くした。
「ええ。じつはその店員は、一昨日の夜は九時過ぎに食器を引き取りに行ったらしいんで
すよ。なんでも、九時には宴会が終わるからと、涼子夫人から言われていたらしいです。
ところが宴会が延びているようなので廊下で待つことにしたということです」
「それで？」
成田は先を促した。そう言われれば、見覚えのある印半纏《しるしばんてん》を着た男が二人ほど廊下に立
っていたように思える。

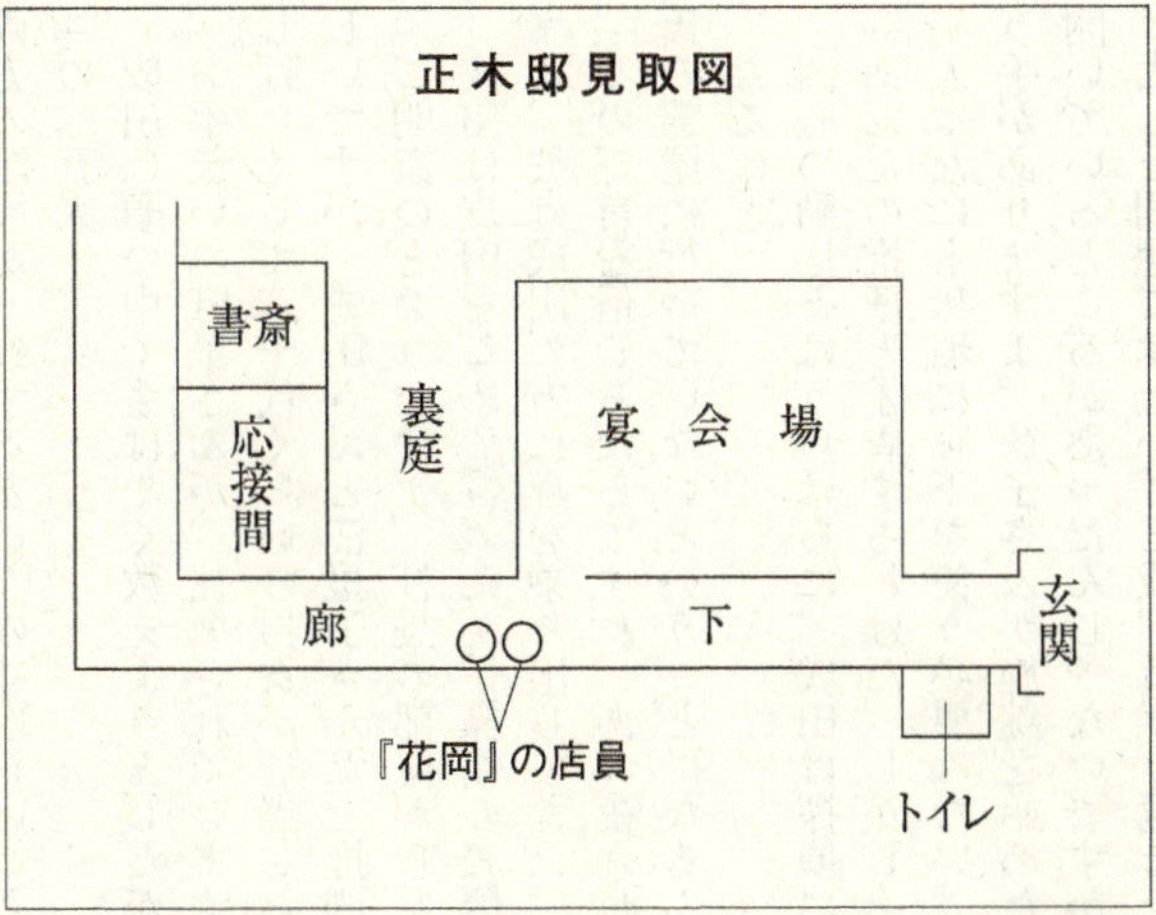

「その店員の言うにはですね、宴会場の下手《しもて》の方の廊下で待機していると、トイレへ行く人の邪魔になるので、上手《かみて》の方で待つことにしたんだそうです。ご存じのように、廊下を上手の方に歩いて行くと、応接間があり、さらにその先には藤次郎氏の部屋があります」

「つまり」

と成田は探偵の機先を制して言った。「宴会場を出て社長の部屋に向かった人間がいるとすれば、必ず彼らの目に触れていたはずだとおっしゃりたいわけだ」

「そのとおりです」

「で、彼らは何と言っているのですか?」

すると探偵は右手を出し、成田の顔の前でぱっと掌《てのひら》を開いて見せた。骨ばった、大きな掌だった。

「のべ五人の人間が通ったと言っていました。店員は二人だったのですが、こういう場合に両方の記憶が一致するというのは珍しいことです」

「のべ五人……」

成田は頭の中ですばやく数えようとしたが、その前に探偵が説明してくれた。

「お手伝いの麻子さんが、往復されています。これで、のべ二人。そのあと高明氏が通り、しばらくして三十代くらいの男女が通過したそうです。その男女の正体は知らなかったらしいですが、成田さんと江里子さんだと推測しております」

「ご明察のとおりですよ。社長の部屋から戻って来るところを見たのでしょう」

成田は皮肉をこめて言ったが、探偵の表情はまったく変わらない。そして感情を消したまま、彼は成田の方に身を乗り出してきた。

「この証言を信じるならですね、あの夜九時半から十時の間には、誰も宴会場から藤次郎氏の部屋に行っていないということになるんですよ」

「なるほど」

内心の動揺とはうらはらに、成田は探偵に負けず感情を押し殺した声で答えた。

「あなたの推理と矛盾するわけだ。しかしそれは大した問題ではないのではないですか？犯人はなにも無理に廊下を使う必要はない。玄関から出て、裏庭あたりから侵入するという手がありますよ。徳子さんが施錠を始めたのは十時過ぎだという話だから、どこか鍵の開いているところがあったんじゃないですか」

大した問題ではない、と成田は繰り返した。

「物理的にはそれで納得がいきます」

と探偵は言った。「しかし心理的にはあり得ないと思いますね。どこの鍵が開いているかを探す手間がいるし、そういうところがあるかどうかも不明です。しかも徳子さんが施錠を始めてしまえば、元も子もない。確実に犯行を為《な》すには廊下を通るしかないし、仕出し屋の視線が気になったとすれば計画は中止しただろうと思います」

「じゃあ、どういう方法を使ったというんですか？」

成田は思わず声を大きくした。だいたい、なぜ自分がこの探偵の相手をしなければならないのだと、腹が立ってきていた。

「それがわからないのです」

探偵は成田とは逆に、より抑揚のない声で言った。「ですから見方を変えて、なぜ藤次郎氏が連れ去られたかということから攻めてみたいと思っています」

「なぜ、ということに関しては、私には心当たりはありませんよ。昨日も申し上げたとおり」

「わかっています。ですから、これからいろいろとデータ集めをしていかねばと思っているのですが……」

そう言うと探偵は、鞄の中から黒い小箱のようなものを取り出した。それは小型のテープレコーダーだった。

「藤次郎氏は書斎の電話にテープレコーダーを接続しておられますね。重要な会話は録音しておくためだそうで」

「ええ……そうです」

成田は鼓動が速くなるのを感じた。掌に汗が滲《にじ》んでくる。

「そこで最近どういう話を、誰となさったか調べてみようと思いましてね。涼子夫人の許可を得て聞かせていただきました」

探偵の言葉に成田は安堵《あんど》の吐息を漏らした。どうやらトリックを見破られたのではないようだ。

探偵は成田の感情の変化には気づいたようすもなく、テープレコーダーのスイッチを入れた。途端に聞き覚えのある声が、淡々とした口調で流れて来た。時折相槌《あいづち》を打つ声は、間違いなく藤次郎のものだ。

「専務の声ですね」

と成田は言った。「販売計画の推進会議の日程に関する打ち合わせをなさっているようだ」

「このあとです」

探偵はレコーダーを指差した。

「……ですから、推進会議は来週十日の火曜日に行なうのがもっとも効率的だと思います」

探偵はここでスイッチを切った。そして巻き戻しをしながら、

「十日の火曜、と言ってますね」

と確認した。「十日が火曜日になる月というのは、一番最近でも二か月前になるんですよね。なぜ藤次郎氏は今頃こんなテープを聞く気になったんでしょう？」

しまった、と成田は思った。テープの中身を確認しておくべきだったのだ。しかしそんな時間的余裕はなかった……。

「さあ」

と彼は首をすくめて見せた。「私にはわかりませんね。社長に訊《き》いてみないと」

すると探偵はレコーダーからテープを抜き取り、それを成田の前に置いた。

「お手数ですが、成田さんの耳でもう一度このテープを聞いていただけませんか？　何かがここに隠されているのかもしれないのですが、それはわれわれでは判断できないことなので」

「わかりました」

成田はそれを受け取ると、背広の内ポケットの中に滑りこませた。やはりこの探偵は、まだトリックのことには気づいていないのだ——。

「至急調べてみて、何か気づいたことがあればお知らせします」

「お願いします」

探偵は立ち上がり、時間を取らせたことを詫《わ》びると、身を翻《ひるがえ》して来客室を出て行った。

成田が来客室を出ると、受付をやっている女子社員と出会った。彼女は営業的な笑みを

浮かべたあと、

「さっきの方、変わった人ですね」

と話しかけてきた。

「君もそう思うかい？　変人なんだよ」

「ええ。成田さんをお呼びしたあとも、妙なことを訊くんです。社長にコーヒーを入れるのは誰の仕事かって」

「コーヒー？」

「それであたし、コーヒーは向かいの喫茶店から出前で頼むんだって教えたんです。そしたら今度は、社長はブラックで飲むか、ミルクを入れるかですって。そんなこと、あたしが知るわけないのに……」


退社間近になって、成田のもとへ涼子から電話が入った。用件は、例の探偵が何か知らせたいことがあるそうだから、今夜集まってほしいということだった。

「社長のいる場所がわかったのですか？」

「そうではないらしいわ。でもとても重要だとかで……とにかく来てちょうだい」

「わかりました」

成田は受話器を置き、しばらく宙を睨《にら》んだあと再び持ち上げた。そして江里子のいる部屋に電話する。

「あっ成田さん、探偵が何か摑《つか》んだらしいわ」

「そうらしいですね。何を摑んだか、わかりませんか？」

「わからない。でも助手の女が、麻子さんにしきりに何か訊いていたの。それで、それとなく麻子さんに尋ねてみたら、あの夜本当に藤次郎がいたかどうかを確かめていたらしいわ」

「それで彼女は何と？」

「たしかにいたって答えたらしいわ。でもまだ疑っているみたい……。どうしたらいいかしら？」

「うろたえないことです。大丈夫、決定的なものは何もないはずです。あっそれから、社長はコーヒーはブラックで飲まれましたか？　それともミルクを入れておられましたか？」

「コーヒー？　ああ、たしかミルクを入れていたわ」

「あの時たしか、ミルクもちゃんと捨てましたよね？」

「えっミルク？」

受話器の向こうで江里子が沈黙した。やはり捨て忘れたか——成田は唇を咬《か》んだ。

だが江里子は言った。「捨てたわ、たしかに」

「えっ、本当ですか？」

「本当よ。覚えがあるもの」

「それなら大丈夫ですよ」

そして成田は、とにかく何も知らないふりをするのだと言って受話器を置いた。

涼子、高明、江里子、そして成田。この夜集められたのは、この四人だけだった。友弘や子どもたちの姿はない。そのことが成田に嫌な予感を与えた。

場所は藤次郎の部屋。事件以後誰も触っていないことを、涼子が改めて保証した。

「録音テープの中に、何か手掛かりになりそうなものはありませんでしたか？」

成田がソファにすわるのを見届けてから、助手の女が話しかけてきた。

「いや、残念ながら気づきませんでした」

成田はポケットからテープを取り出すと、それを彼女に渡した。

「そうですか」

彼女はテープを受け取ると、それを大事そうに自分のポケットに入れた。そんなところを見ていると、多少不安が薄れていった。

全員が並んで腰を下ろすのを確かめると、探偵は入口に鍵《かぎ》を掛け、四人に向き合うようにすわった。助手は少し離れて立っている。

「今夜お集まりいただいたのは」

そこで言葉を切ると、探偵は四人の顔をゆっくりと順番に見て言った。「皆さんに本当のことを話していただきたいからです」

高明が眉《まゆ》を上げて訊いた。

「どういうことかね、それは？」

「ですから、本当のことです」

そして探偵は例のメモ帳を取り出すと、ページをめくり、教え諭すような調子で言った。

「あの夜の九時半頃、あなた方は藤次郎氏に会ったとおっしゃっている。もしそうなら、犯人はこの部屋に忍び込むチャンスはなかったことになります。ということは考えられることは二つ、犯人は忍び込まなかった、あるいはあなた方が犯人であった」

「冗談じゃない」

高明は唇の端を曲げ、吐き捨てるように言った。「なぜわれわれが社長をさらう必要があるんだ。馬鹿馬鹿しい」

「動機があるのかしら？」

高明とは対照的に、冷静な口ぶりで涼子は訊いた。

「藤次郎氏を拉致《らち》する動機は見当たりませんね」

と探偵は涼しい顔をして言った。「たとえば高明氏にとっても、今、藤次郎氏が行方不明になることは拙《まず》いはずなのです。というのは藤次郎氏の前の奥さんとの離婚問題が片付いていませんからね。遺産の面でも不利になるだけです」

高明は仏頂面をしている。肯定も否定もしない。

「江里子さんの場合はさらに明白です。入籍もしないうちに行方不明になっては、何のために玉の輿《こし》に乗ったかわからない」

探偵は、江里子が財産目当てでこの家に入り込んだと決めてかかっていた。しかしそれについては当の本人でさえ反論しない。場が白けるだけだということを悟っているのだろう。

「成田さんの立場を考えてみても、雇い主がいなくなって得をするとも思えません」

「ほうら、見ろ。思いつきなんだ」

高明は蔑《さげす》むような目を探偵に向けた。

「しかし、ある一つの条件を与えれば、この三人の方が力を出し合って、社長を隠すということは充分に考えられることがわかりました」

「何かしら、その条件って？」

明らかに緊張した面持ちの涼子を見て、探偵は少し眉を寄せたようだった。重大発言を前にした彼の、唯一の表情の変化だった。

「それはつまり、藤次郎氏が死んでいた場合です」

宣告するように探偵は言い、涼子の身体はほんの少し揺れた。外観に現われた彼女の感情の変化も、それだけだった。

むしろ、しゃっくりをしたような声を出した江里子の反応のほうが探偵の気を引いたようだった。彼女はすぐに俯《うつむ》いたが、探偵は少しの間、紅潮した彼女の頬を凝視していた。

「何を言い出すんだ、まったく」

高明は作り笑いを浮かべたが、涼子の「続けてください」という言葉の語気に圧倒されたように頰を強《こわ》ばらせた。

探偵は話を再開した。

「心臓発作か、脳出血か、いずれにせよ藤次郎氏がこの部屋で死に、そこへお三人が現われた場合を想定します。お三人は藤次郎氏の死を公表することが得策かどうか、少し考えればわかることでしょう。藤次郎氏の身体を隠し、謎の失踪《しっそう》という形で時間稼ぎをすることによって、前夫人との離婚、江里子さんの入籍を実現しようと計画したのではありませんか。もっとも、離婚のほうはともかく、入籍が可能だったかどうかはわかりませんが」

探偵の口調は初めて皆の前でしゃべった時と変わっていなかったが、成田たちには、自信に満ちているように感じられた。

「馬鹿馬鹿しい」

高明は先程と同じことを言ったが、今度は声がかすかに震えていた。「何を証拠にそんなでたらめを言うんだ。だいいち、あの時に社長を見たのはわれわれだけじゃない。お手伝いもコーヒーを持って来た時に見ているんだ。それとも彼女も共犯だというのか？」

だが探偵は、高明を無視するように江里子の方を向いた。

「麻子さんがコーヒーを持って来た時、あなたはどこにおられましたか？」

彼女は、ふてくされたような、そして失望したような顔で探偵を見ると、ソファの後ろの壁を差した。

「壁際に立っていました」

探偵は感心したように、頷《うなず》いた。

「なるほど。たしかにその位置だと、ドアの外側に立っている麻子さんには見えないわけですね。しかしまだ疑問は残ります。麻子さんがコーヒーを持って来た時、藤次郎氏と高明氏が話に夢中だったので、盆を成田さんが受け取ったということでしたが、なぜ江里子さんが受け取らなかったのですか？　こういう言い方は失礼かもしれませんが、通常そういうことは女性がするものでしょう」

「通常、でしょう」

こういう議論はかえって逆効果だと知りつつ、成田はつい反論していた。「あの時私がたまたまドアの近くにいたので、私が受け取ったのです」

「たまたま……ですか。聞くところでは仕事の話をなさってたとか。秘書のあなたは、普通なら藤次郎氏のそばにいそうなものだが……。まあそれはいいでしょう」

探偵は、それ以上この問題に拘《かか》わろうとはせず、黙って壁際の棚に近づいた。そこにはコーヒー・カップを載せた盆が、あの夜のまま置いてある。

「江里子さんにお尋ねします」

探偵の声に、彼女は一瞬びくりと身体を震わせた。

「藤次郎氏がコーヒーを飲む時は、ブラックですか？　それともミルクを入れますか？」

成田は少しだけ江里子の方に顔を向けた。大丈夫、と江里子が目で合図する気配が感じ取れた。彼女はきっぱりと言った。

「ミルクを入れますわ。そのほうが健康にいいとかで」

「なるほど」探偵はコーヒー・カップとミルク・ピッチャーを覗《のぞ》き込みながら言った。「たしかにミルクは空になっていますね」

「そうでしょうとも」

江里子は勝ち誇ったように答えた。

「ただ」

探偵はスプーンを取り上げた。「スプーンを使った形跡がないんですよ。奇妙ですね。ミルクを入れたならスプーンを使うのが普通だ」

あっと成田は口の中で漏らしていた。と同時に江里子も何か言った。高明だけが責めるように江里子を睨《にら》んでいる。

「奇妙な点は他にもあります」

探偵は今度は藤次郎の机のところに行き、その引出しを開けた。「犯人はこの引出しから例のキーホルダーを抜き取ったわけですが、かなりわかりにくい場所に入れてあったにもかかわらず、ひっかき回した形跡がない。つまり、最初からどこにキーが入っているかということを知っていた、と考えざるを得ないわけです」

「空論だね」

およそ論外だとでも言うように、高明は口元にかすかな笑みさえ浮かべた。「君の言っていることは、ひとつひとつはもっともらしく聞こえる。しかし決定的なことを忘れているじゃないか。お手伝いは、社長と私の会話を耳にしているんだよ」

成田は探偵の目を見た。あるいはテープレコーダーのトリックは見破っているかもしれない。しかし、それとて証拠がなければ、なんとか言い逃れられる。成田は探偵の自信のほどを探ろうとしたのだ。だが探偵の目は相変わらず無色だった。

無色の目を、探偵は助手に注いだ。助手はポケットからテープを取り出すと、それをテープレコーダーにセットしている。そのテープは、さっき成田が渡したものだった。

「麻子さんが見たのは藤次郎氏のガウンの袖《そで》だけで、声を聞いただけなわけです。そうなるとテープレコーダーを使った可能性も出てきます」

探偵が言い終わると同時に、助手の女がスイッチを入れた。成田が昼間、探偵から聞かされた会話が流れて来る。同じ声。藤次郎の相手は友弘だ。

これが何か、と言いかけた時、例の部分にさしかかった。

『……ですから、推進会議は来週十日の火曜日に行なうのがもっとも効率的だと思います』

そしてそのあと、突然友弘の声が消えた。しばらく沈黙があって藤次郎の声。また途切れて藤次郎の声。成田や高明の顔色を見て満足したのか、探偵は助手にスイッチを切らせた。

「このように藤次郎氏の声だけを残して再生し、その声に合わせて相槌《あいづち》を打っていれば、傍《はた》で聞いている者には普通の会話に聞こえるでしょうね」

さらに探偵は成田に言った。「このテープがセットされていたのは、藤次郎氏が聞いていたからではなく、トリックに使ったテープの代わりに、あなた方がセットしたからだったのです。したがって成田さんには、このテープの内容には何の意味もないことがわかっていた。だから私から受け取ったあとも聞かなかった。もし聞いていれば、われわれがこのような細工をしていたことにも気づいておられたでしょう」

成田は自分の顔面から、血の気がすうっと音を立てて引いて行くような感触を受けていた。そして実際に顔色は蒼白《そうはく》になっているのだろう。なぜ探偵がテープを自分に預けたか、その理由が今初めてわかったのだった。

「どうなの、成田さん」

今まで気を失っていたように黙っていた涼子が、絞り出したような声で詰め寄った。成田は言った。

「私たちが部屋に来た時、社長は首を吊って自殺されたあとでした」

「成田っ」

高明が言い放ったが、彼もすぐにソファに腰をうずめた。どうやら諦《あきら》めたらしい。

涼子は瞬《まばた》きもせずに成田の口元を凝視していた。そしてやがて驚くほど落ち着いた口調で訊《き》いた。

「なぜ、お父様が自殺を？」

「わかりません」

と成田は首を振った。「ただ文江奥様とのことがありましたので、衝動的なものではないかと私は判断しました。そしてその時は、自殺の動機よりも、これからどうするかということのほうに心を奪われてしまったのです。死体を隠すことを提案したのは私です。理由は、先程そちらの探偵さんがおっしゃったとおりです。私としては、今後のことを考えて、副社長の点数を稼いでおこうという狙いがありました」

成田は自分と江里子とのことはもちろん、江里子が受け取るはずだった保険金のことにも触れなかった。

「それで、どこへやったの？　お父様の身体は」

涼子は一途《いちず》な顔をして訊いた。成田はしばらく彼女の瞳《ひとみ》を見つめ、そして言った。

「それがわからないのです」

「わからない？」

「そうです。私たちが死体を始末しようと再びこの部屋に来た時、社長の死体はすでに消えていたのです」

6

あの夜――。

麻子を追い払ったあとで藤次郎の部屋に入った成田と高明は、ベッドの上に寝かせてあるはずの死体が消えているのを知った。咄嗟《とっさ》に二人が考えたのは、江里子が何かしたのではないかということだった。そこで室内電話を使って彼女に事情を訊こうとしたのだが、彼女もまた死体の行方については、何も知らなかった。成田が尋ねていることの意味すら把握できないほどだったのだ。

死体の消えた部屋で、成田、高明、江里子の三人は呆然《ぼうぜん》と立ち尽くしていた。

「いったいどういうことなんだ、これは」

まるで誰かに怒りをぶつけるように高明が言った。しかしもちろん、成田や江里子にもこの問いには答えられない。

死体が消えたという状況も異常だったが、部屋の状態も不可解だった。窓にも内側から鍵《かぎ》が掛けてあり、完全な密室を構成していたのだ。

「誰かが死体を持ち出したとしか考えられないわけですが……」

成田は言い淀《よど》んだ。死体を持ち出すとして、いったいどうやってこの部屋から出たというのだ？

「この部屋の鍵は一つしかないのかね？」

高明が訊くと、江里子は小さくかぶりを振った。

「たぶん、机の引出しにもう一つ入っていたはずだわ」

そして彼女は藤次郎の机の引出しを開けると、ちょっと探したのち、すぐに黒革製のキーホルダーを取り出した。「ここにあるわ。この部屋の鍵は、あたしが持っているのと、これだけだと思うわ」

「すると……どうやって運び出したんだ？　それに……そうだ、何のために社長の死体を持ち出す必要があるんだ？」

「今のところ、そのどちらの質問にも答えられませんが」

成田は、自分の気持ちを落ち着ける努力を繰り返しながら、高明と江里子を交互に見て言った。「とにかく今は、これからどうすべきかという打ち合わせをしたほうがいいように思いますね」

三人が三人とも複雑な表情をしていた。藤次郎の死体が隠されるのは結構だが、犯人の意図がわからないだけに戸惑うしかなかった。

「こういうのはどうだろう？」

高明が言い出した案というのは、とりあえず今までの計画どおりに行動しようというものだった。犯人の狙いは不明だが、問題は時間稼ぎができればいいのだ。

「でも、もし犯人が捕まったりしたら、自殺した日が明らかになって、あたしには保険金は出なくなるわ」

江里子は乗り気ではなかった。

「だから警察に届けたりして、事を大きくしなければいいんだ。大丈夫。私がそんなことはさせない」

「犯人がどういう動きをするか、ですね」

「その時にも、できるだけ内密に事を済ませるように努力しよう」

結局高明の提案どおり、計画を実行するということになった。ところが翌朝になって思わぬアクシデントが生じた。藤次郎の車が故障していたのだ。三人はやむなく、計画の中止を強いられることになった。


「すべて成田君の言うとおりだ」

高明は泥水を飲まされたように苦い顔をして言った。「社長の死を故意に隠そうとしたことは事実だ。それは謝ろう。しかし、実際に隠したのはわれわれではないんだ。そういう意味では、事態は何ひとつ解決していないことになる。ゲームにたとえれば、振り出しに戻ったわけだ」

「すみません。私は少し休ませていただきます」

涼子は立ち上がろうとして、少しよろけた。さすがにこう次から次と衝撃的な話ばかり聞かされては、神経のほうがもたないだろう。頼りない足取りで、スリッパを引きずるようにして彼女は部屋を出て行った。

ドアが閉まるのを確認してから、探偵が言った。

「今までのお話をまとめると、こうなります。九時頃、藤次郎氏が首を吊って死んでいるのを確認、十時半頃死体が消えていた……と」

「そうです」

成田が答えた。

「そうすると、考え方が根本から変わるわけですね。たとえば犯人は、ドアから書斎に入る必要がない。部屋の中に生きている人間はいないのですから、窓から入ればいいのです。おそらく犯人は、何かのきっかけで窓の外から死体を発見して、窓から侵入して死体を持ち去ったのでしょう。死体だから、どういう運び方をしてもいい。車のトランクに入れて運ぶのが、一番手っ取り早いでしょうが」

「窓には鍵が掛かっていたはずだよ」

高明が重い口を開いた。「窓だけじゃない。ドアにも鍵が掛かっていたんだ。犯人はどこからどうやって出入りしたというのかね？」


全員が引き揚げてから、成田は探偵たちに付き合わされて、藤次郎の部屋に残った。探偵がなぜ彼を指名したのか、その真意は彼にもわからなかった。

「すると藤次郎氏は」

探偵は部屋の中央にあるテーブルの上に立って、シャンデリアを右手で摑《つか》んだ。

「ここにロープをかけて、首を吊っていたということですか？」

「そうです」

「その時、藤次郎氏の足とテーブルとの間隔はどれぐらいでしたか？」

成田はなぜ探偵がそんなことを言うのかわからなかったが、両手で三〇センチくらいの幅をつくって、

「これくらいです」

と答えた。

探偵は頷《うなず》き、助手に目配せをした。彼女はそれをメモする。

「ロープはどういうものでしたか？」

成田は、部屋の隅の棚を示した。そこには全国各地の民芸品が並べてある。藤次郎は郷土玩具などに強い興味を持っていたのだ。成田が指差したのは、四〇センチぐらいの大きさの、木彫りの牛だった。さまざまな装飾品で飾ってある。

「金べこと言いましてね、花巻《はなまき》のものです。縁起ものですよ。じつは紅白の縄が付けてあったはずなのですが、なくなっています」

「それを使ったと？」

「間違いありません」

成田は自分の記憶を確認した。藤次郎の首に巻きついていたものは、たしかに紅白の紐《ひも》だった。

「ところで」

探偵はソファに腰を落とした。そしてちょっと声を低くして、「自殺の動機ですがね、

やはり衝動的なものだとお考えですか？」と訊《き》いてきた。

「それが……」

成田は口ごもった。

「今はそうじゃない？」

探偵は成田の顔を覗《のぞ》き込むようにして見た。探偵の隣りでは、助手が同じように上目遣いに見ている。

「ええ、今はそうじゃないです」

成田は二人を均等に見返しながら言った。

「たしかに躁鬱《そううつ》病の気はありましたが、どんな状況になっても衝動的に動く人ではなかったですからね」

「なるほど」

探偵はソファに腰かけ、膝《ひざ》の上で掌《てのひら》を組んだ姿勢でじっと何事かを考えていた。何かを言いたそうで、それを言い出す時期を検討しているような顔つきだった。

「成田さん」

彼が発した声は、妙にあらたまって聞こえた。「死体を発見してから、死体が消えているのを知るまでのことを、できる限り正確に、厳密に話していただけますか？　どうやら話は複雑になってきそうだ」

7

翌日、探偵は成田の前に姿を見せなかった。成田だけでなく、正木家の人間の誰もが、今日は会っていないと答えた。涼子は自室に籠《こも》ったきりで、探偵どころか、誰とも顔を合わせていないということだった。

藤次郎の一件は、まだ警察には届けていなかった。犯人はそのうちに何らかの動きを見せるだろうから、それからでも遅くはないという高明の意見が通った形だが、どうせ藤次郎は死んでしまっているのだから、別に心配する対象でもないというのが当事者たちの本音であった。

事情を知って、一番そわそわし出したのが友弘だった。藤次郎の死が確認されれば、自分の母親の文江に遺産が転がり込んでくるからだ。だが今のままでは死亡を確認するものが何もない。彼の今の願いは、一分一秒でも早く藤次郎の死体が見つけ出されることだった。したがって警察に届けることを一番強く主張しているのも彼だった。

社員たちには、社長は海外視察中だと説明してある。いずれバレてしまう嘘だが、とりあえず混乱は避けようというのが高明の考えだった。仕事については彼が代行するので、とくに大きな障害はなかった。

成田は、副社長室で藤次郎の仕事について高明に説明することが多かったが、それ以外は無人の社長室で過ごした。社長の出張に秘書が同行しないことについて尋ねて来る人間がたまにいたが、彼はうまくごまかしていた。

社長室に戻り、自分の机につくと、成田は煙草を吸った。乳白色の煙の向こうに、藤次郎の首吊り死体が揺れる。彼は昨日、探偵から聞いた言葉を思い出した。

――「この事件は、二つの『なぜ』を解けば解決するように思えますね。まず、なぜ犯人は藤次郎氏の死体が必要だったか？　そして、なぜ現場は密室だったか？」

探偵は明らかに何らかの洞察を秘めていた。それは何か？

成田は主《あるじ》を失った社長の机を眺めながら、藤次郎の死体を隠す必要のある人間は誰かを考えてみた。

まず涼子。高明と同様に、藤次郎の離婚が成立するまでは彼に死なれては拙《まず》いと考えるだろう。それに正木家の体面がある。自殺は体面を汚すに充分な死因だ。

遺産という意味では高明の三人の子どもたちにも動機は存在することになる。ただ彼らにそれほどの行動力があるかどうかは疑問だった。自分一人では何もできないボンクラだと成田は思っている。

世間体を気にした、という点から考えれば婆やの徳子も怪しくなる。正木家を守ろうという意志は、誰よりも強いかもしれないからだ。だが老女の手で死体を運ぶことが可能かどうか？　これはどう考えても無理な気がした。

密室のことも成田は考えてみた。いったい犯人はどうやって鍵《かぎ》の掛かった部屋から死体を運び出し、また鍵を掛けていったのか？　煙のように人体を消滅させる手段があれば話は別だが、成田はそんな方法は知らなかった。

――探偵は……。

当夜のことを正確に話してくれと言った。むろん成田は話した。涼子には内密に、という条件で、江里子が受け取る保険金のことも明かしたのだ。

探偵と助手は二人がかりで成田の話を文字に変えた。彼らが作りあげたメモには、各人の無駄話はもちろん、その時の身体の向きまでが細かく――といっても成田の記憶に残っている範囲で――記されたはずだった。

――探偵は自分の話の中から何かを摑んだか？

それはわからなかった。ただ探偵が彼に言ったことは、前述の、「二つの『なぜ』……」という台詞《せりふ》だった。

そして翌朝、探偵と助手の女は、突然成田のマンションにやって来た。

「よくここがわかりましたね」

成田が感心すると、助手の女は当たり前だと言わんばかりの薄い笑いを浮かべた。探偵の方は値踏みするように室内を見わたしただけで無表情だ。

「まあ、どうぞ」

だが探偵は右手を出して、小さく首を振った。

「今日は、仕事を打ち切らせていただこうと思ってやって来たのです」

「打ち切り？」

「そうです」

そして探偵は、助手が横から差し出した大型の茶封筒を、そのまま成田の方に渡した。

「この中に、今回の仕事に関する資料が入っています。お断わりしておきますが、すべて実際のデータと、事実の記録だけです。推測や憶測は、一切排除してあります。当然調査結果に対するわれわれの所見もありません」

成田はその封筒を受け取った。ずっしりとした重みがある。彼は訊いた。

「なぜこれを私に？」

「あなたを選んだ理由はとくにありません。強いて言えば、あなたは正木家と関係がないからです」

と探偵は言った。「この資料をわれわれなりに解析した結果、われわれがこれ以上この事件に関与するわけにはいかないということになったのです。事件の結末は、あなた方に決めていただくしかありません。それでこれをお渡しするのです。この資料から、おそらくあなたもわれわれと同じ結論に辿《たど》り着くことでしょう。その結論をあなたがどのように処理しようと、それは自由です」

「わかりませんね。結論が出ているなら、あなた方の口から涼子夫人に話せばいいのじゃないですか？　私に判断を委《ゆだ》ねる必要性というものがあるのですか？」

「疑問はおありだろうと思います」

探偵の抑揚のない話しぶりは相変わらずだったが、歯切れの悪さは今までになかったものだった。「とりあえずこの資料をお読みください。そうすればおそらく、なぜわれわれがこのような態度しかとれないのかわかるだろうと思います」

そして探偵は丁寧に頭を下げた。女の助手もそれに倣《なら》っている。成田は何も言えず、封筒と二人の後ろ姿を交互に見ていた。

8

一か月が経った。

成田はいつものように社長室に向かって足早に歩いていた。廊下を勢いよく曲がった時、太っちょの営業部長とぶつかった。

「成田君か、相変わらず忙しそうだね」

「おかげさまで」

「君もいろいろと大変だったが、いい方向に変わったんだからよかったよ。まあ、しばらくはきついだろうが、がんばることだね」

「ありがとうございます」

成田は頭を下げ、営業部長と別れた。そして再び足の速度を上げる。思わず頬が緩みそうになるのを、ぐっととらえた。

——いい方向……か。

まったくそのとおりだと成田は思った。あの時に方向を間違っていたら、今の自分はなかったかもしれないのだ。

そういう意味で、あの探偵の資料は貴重だった。

あの日、探偵が帰ったあと、成田は一人でその資料を見た。何枚かの書類が綴《と》じてあり、その一枚目には『正木藤次郎氏の自殺に関して』というタイトルが付けてあった。そこには次のようなことが書いてあった。

・藤次郎氏が自殺する動機については、関係者は誰も心当たりがない。
・成田氏の証言によれば、藤次郎氏の足はテーブルから離れて揺れていたということである。つまり藤次郎氏が首吊り自殺をする場合、台に乗ってロープを掛け、そこに首を通したのちに台を蹴《け》るという方法をとったことになる。だが現場にそういう台はなかった。

ここに書いてあることはこれだけだった。しかしこれだけで、成田は探偵が何を言いたかったのかを理解した。つまり彼らは藤次郎が自殺したという事実に疑問を持ったのだ。

——誰かが社長を殺し、首吊り自殺に見せかけた……。

それならなぜ死体を、と思いながらページをめくると、それに答えるようにこういうタイトルが目に入ってきた。

『なぜ犯人は死体を持ち去ったか？』

そしてその下には、探偵の例のメモ帳の一ページを切り取ったらしいものが貼ってあった。そのメモには次のように書いてあった。

『死体発見後の成田氏、江里子さん、高明氏の会話（応接間にて）。

江里子「他殺に見せかけられないか？　他殺ならば保険金は出るはず」

高明「警察が動くのは拙い。事故死のほうがいい。保険金は出るし、正木家の体面も保てる」

成田「他殺も事故死もだめ。ロープの痕《あと》や鬱血《うつけつ》状態などから、偽装は簡単に見破られる」

高明「そんなに簡単か？」

成田「簡単。法医学の基礎である」』

成田は書類を持つ手が震えてくるのを止めることができなかった。藤次郎を殺したのは高明だったのだ。彼は藤次郎を殺したのち、首吊り自殺に見せかけたつもりだったが、この時の会話でそれが無駄であることを知り、死体を回収しなければならなくなったのだ。

そう考えれば、途中までは藤次郎の自殺を警察に届けるべきだと主張していた高明が、すんなりと偽装工作に賛成した理由もわかるのだった。

掌と額に汗をかきながら成田はページをめくった。次は『なぜ密室になっていたか？』だ。

ここにもメモが貼ってあった。


『藤次郎氏の部屋で偽装工作を終えたあと。

成田「窓も鍵《かぎ》を掛けたか？」

高明「大丈夫、掛けた」』


なるほど、と成田は合点がいった。あの時高明は、あとで自分が忍び込むことを考慮して窓には鍵を掛けなかったのだ。

——だが部屋を出た後はどうなのだ？　あの時は間違いなく窓にも鍵が掛かっていた。

その疑問に答えるかのように、次のメモがあった。

・藤次郎氏の部屋に入る時、ドアの鍵を開けたのは高明氏である。
・成田氏は麻子さんが去って行った方向を見ていた。
・成田氏はカチリという音を聞き、それを鍵の外れる音と判断した。

――あの時、たしかに高明の手元を見ていたわけではない。カチリという音を聞き、その時に鍵が外れたと判断したのだ。だがカチリという音を出すくらいならなんとでもできる。たとえばキーを半分くらい回し、勢いよく戻す……。

しかし、と成田は首を振った。鍵が掛かっていることを確かめた人間がいる。お手伝いの麻子だ。彼女ははっきりと言った。「鍵が掛かっている」……と。

成田は次のページをめくった。だがそこから先は、今までとは雰囲気が違っていた。首吊りのことも、密室のことも書いていない。そこから先は、普通の探偵事務所がよくやる、男女の行動調査になっていた。最初に大きな写真が貼ってあるのだが、そこには二人の男女がラブホテルから出て来るところが写っている。成田は最初、何かの手違いで、まったく別の調査報告書がまぎれこんでいるのかと思った。しかし、写真に写っている二人の顔を見て、すべての謎が解けた。

男女は、高明と麻子だったのだ。

警察に捕まった高明の証言によると、宴会の途中席を立った藤次郎は、高明に部屋に来るように耳打ちしたということだった。それで言われたとおりに行ってみると、藤次郎はある資料を見せた。探偵倶楽部が収集した、高明の収賄に関する証拠書類だった。その代表例は、最近オープンした三つの支店の建設工事に関するもので、ある特定の業者との密会現場を撮影した写真が添付されていた。面白いのは、収賄の資料以外に『参考』という書類も付けてあって、そこに高明と麻子の逢引《あいびき》場面をとらえた写真が貼ってあったことで、探偵の所見には『収賄とは無関係と考えられる』と記してあった。

藤次郎はとくに怒りの言葉を吐いたりせず、静かな口調で涼子と別れろとだけ言った。

「今まで目をかけてきたが、飼い犬に手を咬《か》まれたとあっては、わしの沽券《こけん》にかかわるしな」

「社長……」

「何も言うな。黙ってこの家から出て行け」

藤次郎は低く宣告した。そして次の瞬間には、藤次郎の首は高明の両手の中にあった。

推理小説など読んだことのない高明は、首に紐《ひも》を巻いて上から吊るせば、首吊り自殺にごまかせると信じていた。そして窓から部屋を出て宴会場に戻った。

自殺に偽装することが不可能と知った彼は、偶然成田が言い出した計画に乗らざるを得なかった。そこで彼は窓の鍵を開けておき、後の布石とした。

宴会場に戻ってしばらくしてから、彼は玄関から出て裏庭に回り、窓から再び藤次郎の部屋に忍び込んだ。そして死体を担ぎ出すと自分の車のトランクに隠した。

ここで彼は、このまま玄関から戻るわけにはいかなかった。このままだと窓の鍵が開いているので、高明が窓に鍵を掛けなかったことが暴露してしまうからだ。彼は窓から部屋に入ると、そこに鍵を掛け、入口のドアから出て応接間に入った。むろんこの時、藤次郎の部屋の鍵は開いている。

そこへ成田が来て、一緒に部屋に行く。その前に高明と打ち合わせをした麻子が、部屋に鍵が掛かっている芝居をするという手筈《てはず》だった。

死体は翌日高明が会社まで運んで行き、ダンボール箱に入れて倉庫の奥に隠した。チャンスを見て、海かどこかに処分しに行くつもりだったが、そのチャンスがなかなか生まれなかったと高明はのちに供述している。

成田は探偵倶楽部から貰《もら》った資料で、だいたいの真相を把握していた。あとはこれを涼子に話すか、それとも黙っているか、という問題だった。

だが彼の心は決まっていた。事件はやがて明るみに出て、警察が動き出すだろう。そしてやがて真相を探るに違いない。その時までの時間稼ぎをするためにも、このことは黙っていたほうがいいだろう。そしてその間に自分は、次なる主人に取り入っておくのだ。手土産は充分ある。高明と麻子との密会写真なんかも気にいってもらえそうだ。

しかし、もし警察が遠回りをしたらどうするか？

その場合はやむを得ないだろう。得意の偽装で、警察の目が高明にいくように仕向けることにしよう——。

成田は社長室のドアをノックした。正木友弘の響きのいい声が返って来る。一か月前から、成田の主人は彼なのだ。

そして主人になるはずであった正木高明は、そのちょっと前に逮捕された。

警察は成田が心配したとおり、捜査にかなり手間どったのだった。だが、あることをきっかけに、事件は急転直下の解決を見たのだ。

決定的な証拠は、高明の車のトランクから発見された、藤次郎の差し歯だった。

罠《わな》の中

1

薄暗い一室に、三人の男が集まっていた。テーブルを囲み、渋い表情をつきあわせている。三人の真ん中に灰皿が置いてあるが、何度取り替えても満杯になるのだった。

「やはり」

と一番年嵩《としかさ》の男が口を開いた。「なんとか事故に見せかけてほしいな。殺しだということが明白だと、すぐに捜査本部が設置されて、本格的に警察が動き出す。そうなれば、どこかでボロが出てくる」

「やつら、しつこいからなあ」

逆に一番若い男が、しかめっ面を作って見せた。こんなふうに言ったからといって、彼が警察に追われた経験があるわけではない。テレビ・ドラマでの印象を語っただけだ。

「同じじゃないかな、それは」

今まで黙っていた男が言った。色白で、金縁眼鏡をかけているので、神経質そうに見える。事実、彼にはそういうところがあった。

「少々うまく事故に見せかけたつもりでも、警察の科学捜査にかかれば簡単に看破されてしまう。そうなると、その小細工が命取りになる可能性がある。とにかく偽装工作というのは、危険だよ」

「自殺に見せるってのはどうかな？」

若い男が提案した。「毒でもいいし、ガスって手もあるなあ。なんとかうまく遺書を用意してさ」

「それはだめだ」

と年嵩の男が言い捨てた。

「どうして？　自殺となれば、警察だってそんなにはしつこく調べないぜ」

「動機がない。あいつは身体は丈夫だし、金にだって不自由はしていない。悩みもとくにはなさそうだ。そういう人間が、なんだって突然自殺する必要があるんだ。だいいちどうやって遺書を書かせる？　書いてくれって本人に頼むのか？　筆跡が違ってたらアウトだし、ワープロじゃ疑われる」

「自殺はだめだね」

色白の男も横から口を挟んだ。「やはり正当な手段がいいと僕は思うね」

「事故死でいこうじゃないか」

年上が言った。「自殺と違って理由はいらない。それに完璧《かんぺき》にやりさえすれば、警察だってそうしつこくは追及してこないはずだ」

「むずかしいと思うがね」

と色白の男は眼鏡を押し上げる。そしてまた何本目かの煙草に火を点《つ》けた。

「完璧にやるんだよ」

と年上の男は言った。「いかにもアンラッキーな事故でしたって感じでな。充分に布石を打っておいて、俺たち全員の口裏も合わせておく」

「危険だな。あまり気が進まない」

「そんなことを言えるのか？　あいつが生きていて一番困るのは、おまえだろう」

「…………」

「だったらここは思いきってやったほうが得だと思うがな。そのためにこうしてわざわざ俺も出向いて来てるんだ。三人寄れば文殊《もんじゅ》の知恵っていうからな」

「だけどさ、事故と言ってもいろいろあるだろ。どういう事故をでっち上げるつもりなんだい？」

一番若い男は、最年長の意見に同意したもようだった。「交通事故かい？」

年上の男は首を振った。「交通事故はやばいな。顔見知りが直接ぶつけるわけにはいかないし、誰かに轢《ひ》いてもらうってこともできない。あとは車に細工する方法だが、これは調べればわかってしまうだろうな」

「じゃあ、ガス中毒とか毒物を間違って飲んだとか」

「だめだ」

こう言ったのは色白の男だ。「昔の都市ガスなら一酸化炭素中毒になったが、今は天然ガスだから中毒は起こさない。だいいち、ガス漏れ警報器がピーピー鳴り出すだろう。それから毒というのもむずかしい。そういう毒が身近に置いてあったという状況が不自然だ。警察はきっと怪しむ」

「上から何かが落ちて来るというのはどうかね？」

年上の男が色白の男に訊《き》いた。どうやら、事故死を偽装することに色白の男も賛成したとみなしたのだ。「たとえばシャンデリアとかだ。でかいのが一つぶら下がっているだろう。あれなんか頭に受けたらイチコロじゃないか」

だが、色白の男はゆっくりとかぶりを振った。「たしかに、頭に受けたらイチコロだろうけど、どうやって命中させる？　何か細工する必要のあることはだめだ」

「ちぇっ、じゃあ何もかもだめじゃないか」

若い男は苛立《いらだ》ったように髪をくしゃくしゃと掻《か》いた。そしてちょっと伸びかけた不精髭《ぶしょうひげ》をこする。「敵さんはほとんど家を出ないから、どこかから落ちるってこともないだろうしさあ……。もちろん溺《おぼ》れ死ぬってこともないよな」

年長の男の眉《まゆ》がぴくりと動いた。

「溺死《できし》か……」

「悪くない」

色白の男も小さく頷《うなず》いた。「溺死するのは、何も海や川だけじゃない。洗面器一杯の水でも溺れる」

「風呂《ふろ》だ」

と年長の男は言った。「風呂で眠ってしまって、溺れ死ぬってのはどうだ？　前に一度新聞で読んだことがあるぞ。ちょっと情けない死に方だけどな」

「ふうむ」

色白の男は煙草を吸い、乳白色の煙をたっぷりと吐き出した。そして眉を寄せ、二、三度横に首を動かす。「だめだな、やっぱり。眠らせるには睡眠薬を使わなきゃいけないが、そんなものは簡単に検出されてしまう。それに眠ったからといって、必ずしも溺死するとは限らない。むしろ、しない確率のほうが高い」

「なんだ、これもだめか」

年少の男が溜息《ためいき》をついた。

「いやしかし、風呂で死ぬというのはいいな」

色白の男が意味あり気な言い方をしたので、他の二人は彼の顔に注目した。

彼は続けた。

「風呂というのは、ひとりっきりになれる数少ない場所だ。他ではできないことでも、風呂なら可能だということもある。たとえば、わざとガスを漏らせて、風呂場だけを爆発させる。入浴中の人間ならひとたまりもない」

「だめだそんなのは」

年長者があわてたようすで言った。「火を使うのはいかん。万一のことがある」

「ほんの一例だよ。ほかにも手はある」

「たとえば？」

「たとえば——」

色白の男は一段と声を落として、自分の考えをしゃべり始めた。

2

「ねえ、叔父《おじ》さんってどういう方なの？」

助手席の百合子《ゆりこ》が少し心配そうな顔をして訊いた。ハンドルを握っている利彦《としひこ》は、「一言では言いにくいな」と前を見たまま首を捻《ひね》った。

「まあ、ただものではないね。不動産業を営んでいて、さらに内職に金貸しをしているような人だよ。だから金は持っているけれど、あまり評判のいいほうじゃない」

「なんだかこわそうな人なのね」

百合子が心細そうな声を出したので、利彦は声を出して笑った。

「仕事柄、ある程度人に嫌われるのはしかたないよ。だけど僕にはよくしてくれる。学生時代からずっと食わせてくれてるし、就職だって世話してくれた。まあ金に少々うるさいのは諦《あきら》めているんだ」

山上孝三《やまがみこうぞう》の邸宅は、閑静で空気の奇麗な高級住宅街の中に建っていた。駐車場も広く、孝三のベンツの他に車三台を置くスペースがある。その駐車場が満車になったのは、桜が散って何週間か経ったある日の夕方のことである。

浜本《はまもと》利彦と高田《たかだ》百合子の二人が、この日山上家を訪れた最後の客だった。二人が玄関に立つと、お手伝いの玉枝《たまえ》と共に孝三と妻の道代《みちよ》まで出迎えに現われた。

「いやあよく来た。皆、気をもんでいたところなんだ。なにしろ主賓が来ないのでは話にならんからな」

孝三は、突き出た太鼓腹を揺すりながら豪快に笑った。

「ごめん、ちょっと急な仕事が入っちゃってね。これでも急いで来たつもりなんだよ」

「こんな時まで仕事しなくてもいいだろう。——それより、こちらが……？」

「高田百合子さんだよ」

利彦が紹介し、百合子もぺこりと頭を下げた。

「そうですか。利彦の叔父の孝三です。まあひとつよろしく頼みますよ。こいつは案外世話のやけるところがありますんでな」

そしてまた彼は大きな声で笑ったが、その横から道代が彼の脇をつついた。

「あなた、こんなところで……」

「おおそうだな。早く上がれ上がれ」

孝三が百合子の背中を押すようにしながら居間の方に向かい、それから少し遅れて利彦が続いた。すると利彦の後ろにいた道代が彼の横に寄って来て、「奇麗な人ね」と囁《ささや》いた。

それで利彦が彼女の顔を見返すと、

「さ、行きましょう」

と言って、足早に先に進んだ。

リビングには細長いテーブルが用意してあって、そこでは七人の男女が利彦たちを待っていた。若い二人が姿を見せると、期せずして拍手が起こった。

利彦と百合子は彼らの中の空いた席に並んで腰を下ろした。これを確認してから孝三と道代も、席に着いた。

孝三がビールの入ったグラスを持ち上げて、全員の顔を見まわした。

「えー、ようやく主賓が来たので始めることにしよう。こちらにおられるのが、利彦が連れて来た、やつの花嫁候補の高田百合子さんだ。というより、もう本決まりといったほうがいいな。このようにひじょうに美人だし、はっきりいって俺は一目で気にいってしまった。これで親代わりをつとめさせてもらってきた俺としても、肩の荷がおりた思いだ。あとは二人仲よく、元気で暮らしていってほしいと思う。では乾杯」

乾杯、と他の者たちも、グラスを合わせた。利彦と百合子は、立ち上がって一礼し、それからまた椅子にすわった。こうして、若い二人を祝福するパーティーは始まったのだった。

このパーティーを言い出したのは孝三だった。利彦は彼の姉の息子で、その姉も義兄も病気で死んだため、彼が親代わりとして面倒をみてきたのだった。孝三には子どもがいなかったのだ。

食事が始まり、全員の簡単な自己紹介が行なわれた。

今日の出席者は、山上家の親族全員だった。まず道代の弟の青木信夫《あおきのぶお》と妻の喜久子《きくこ》、信夫たちの子どもの行雄《ゆきお》と哲子《てつこ》、孝三の妹夫婦の中山二郎《なかやまじろう》と真紀枝《まきえ》、それから中山たちの息子の敦司《あつし》だった。それぞれが手短かに自分のことを百合子に紹介した。

酒が入ってしばらくすると、全員がかなり多弁になっていた。いい加減利彦たちの冷やかしにもあきたのか、孝三が信夫のほうに矛先を向けた。「どうだい、最近の景気は？」

信夫がほんのわずか、頬の肉を歪《ゆが》めたのを利彦は見逃さなかった。

孝三は続けた。「最近は土地の値上がりが激しいんで、家を建てられる人も多くないと思うがね」

「まったくそうなんですよ」

信夫は愛想笑いを浮かべながら言った。「小さい会社同士で、仕事の取り合いをしている状態でね。どうにかならんもんですかなあ」

「青木さんは設計事務所を開いておられるんだ」

利彦が小声で百合子に教えると、彼女は小さく頷いた。

「薬屋のほうはどうだ？」

次に孝三は中山夫婦の方を見る。二郎は苦笑した。

「だめですよ。会社の株は上がってるんですがね、実態とは全然違うんですよ。景気は悪いですよ、はっきり言って」

中山は製薬会社に勤めているのだった。

「景気がいいのは、兄さんのところだけよ。いいわね、お金がどんどん入って来て」

ワインを飲んで口が滑らかになったのか、妹の真紀枝が、からむような調子で孝三に言った。

「冗談言うなよ。税金は増えていく一方だし、最近は貸した金がきちんと期日までに返ってくるかどうか、不安でしかたがないといった状態なんだ。借りる時は平身低頭するくせに、返す時にはふてぶてしく開き直りやがる。とにかく始末が悪いよ」

そう言いながらも、孝三は機嫌が良さそうだった。

「お二人は社内恋愛なんですね？」

利彦たちの斜め前にいた二郎の息子の敦司が話しかけてきた。締まった顔つきのスポーツマンタイプである。現在国立大学の三年だった。

利彦たちが首肯すると、彼は感心したような顔をした。

「これだけきれいな人が、利彦さんと会うまでひとりだったってのが信じられないな」

「おい、それはいったいどういう意味だよ」

利彦は笑みを浮かべながら敦司を睨《にら》んだ。

「彼女は君と違って、大学時代は勉強していたんだ。遊んでいる余裕なんかなかったってことだよ」

「なんだ、ひどい言われようだな。最近の大学生でも少しは勉強しているんだぜ」

「当たり前だよ。来年は就職だろう？　そろそろ真剣に考えないと、これからは大学卒でも厳しいっていうからな」

「まあね、だから大学院に行こうかとも思っているんだ」

「ほう」

それはすごい、と言いかけたところで、利彦の横でガシャンという音がした。信夫の息子の行雄がナイフを乱暴に投げ捨てた音だった。

「兄さん、どうしたのよ」

行雄の隣りに座っている哲子が眉《まゆ》を寄せて言った。

「気にいらないな」

行雄は低い声を出した。「大学大学って気取りやがってさ、その上まだ大学院で遊ぼうってのか」

「兄さん」

「おい、それちょっと言い過ぎじゃないか」

敦司の顔も険しくなった。「それはひがみ根性ってものだぜ」

「なんだと、この野郎」

誰かが止める暇もなかった。気がついた時には、行雄が敦司の襟首を摑《つか》んでいたのだ。

そしてそのまま床に倒れこんでいた。

「おい、何をやってるんだ？」

孝三が叫んだが、二人の耳には届いていないようだった。もつれあったまま、カーペットの上で殴り合いの喧嘩《けんか》を始めたのだ。

「やめろ」

利彦が間に入り、敦司の身体を押さえこんだ。引き離されると、行雄はその場にあぐらをかいた。

「いったいどういうことなの？」

行雄の母親の喜久子が駆け寄って尋ねたが、息子はふてくされたままだった。それで利彦が喧嘩の経過を説明した。

「何をつまらないことで怒っているんだ」

信夫が行雄を見下ろしながら吐き捨てた。

「大学には行きたくないと言ったのはおまえ自身じゃないか。それを今になって……頭を冷やせ」

「たしかに頭を冷やしたほうがよさそうだな」

孝三がうんざりした顔で言った。「二人とも顔を洗ってきたらどうだ——玉枝さん」

「はい」

お手伝いの玉枝が返事した。

「二人を洗面所に案内しなさい。怪我をしているところがあれば、その手当てもしてあげるように」

「かしこまりました」

ふてくされた顔のまま立ち上がった敦司と行雄を連れて、玉枝は廊下に出て行った。さすがに彼女は長年孝三の世話をしてきただけに、この程度のハプニングではうろたえないようだった。

「すみません、乱暴者でして」

青木信夫が中山夫妻に向かって頭を下げた。いやいや、と中山二郎は掌《てのひら》を振った。

「敦司の言い方も悪かったのでしょう。それにあいつにも少し気の短いところがあるものですからね、まったく困ったものです」

「利彦もとんだ災難だったな」

孝三が彼の服を見て言った。シャツがぐっしょり濡《ぬ》れている。止めに入った時にビールをひっくりかえしたのだった。

「脱ぎなさい。玉枝さんに洗ってもらいますから」

道代が彼のシャツのボタンに手をかけたが、利彦はその手を振りはらった。

「いいです、自分で渡しますから。でも困ったな。明日人に会う用があって、このシャツを着ていくつもりだったんだけど」

「明日の朝までには乾くわ」

道代が答えた時、ガタンと廊下の方から大きな物音がした。と同時に玉枝が駆けこんで来た。

「大変です、また喧嘩が始まってしまったんです」

「なんだって？」

孝三が訊《き》き返した。

「洗面所で、また喧嘩を……」

「あいつらいったい何をやってるんだ」

孝三が廊下に出たので、利彦たちもあとを追った。

洗面所に行くと、敦司が荒い息をはずませて立っていた。行雄は傍らにある洗濯機にもたれるようにしている。行雄の身体が当たったらしく、洗濯機は大きく傾いていた。どうやらさっきの物音は、これだったようだ。

「どういうことなんだこれは？」

二郎は自分の息子の敦司に訊いた。

「知らないよ。こいつがまた急に文句をつけてきたんだ。だからちょっと突き返しただけだ」

「行雄っ」

信夫の声が飛んだ。「何をくだらんことをやっとるんだ。子どもじゃあるまいし」

行雄は横を向いてふてくされている。信夫は孝三と二郎の方に向き直り頭を下げた。

「すみません。今日はこの馬鹿を連れて帰ります。ゆっくり頭を冷やさせてから、後日お詫《わ》びに伺わせますので」

「ひとりで帰れるよ」

そう言うと行雄は孝三や信夫の間を抜けて、玄関に向かった。

「こら行雄っ、あやまらんか」

信夫が息子の背中に叫び、あとを追おうとしたが、それを孝三が止めた。

「まあいいだろう。彼なりの言い分があるだろうし、今日はひとりにさせておいたほうがいい」

「そうですか……いや、本当に申し訳ありません」

信夫は孝三だけでなく、その場の全員に頭を下げた。もちろん敦司の父親である二郎などは、大いに恐縮していた。


「行雄は高校を出て、親父さんの会社で働いているんだ。だからちょっとコンプレックスがあるのかもしれない。そんな必要は全然ないんだけどね」

リビングに戻ってソファで飲み直しながら利彦は百合子に言った。向かいに興奮のおさまった敦司と、哲子がすわっている。

「だいたい兄貴が勉強は嫌いだからって、進学をやめたのよ。それを今さらあんなこと言うなんて、男らしくないわよね」

哲子が大人びた格好でグラスを傾けた。その横で敦司はしきりに首を捻《ひね》っている。

「だけど、彼はいつもはあんなふうじゃないのにな。酒に酔ってたこともあるだろうけれど……ちょっとおかしかったな」

「虫の居所が悪かっただけよ。気にしなくていいわ」

その言葉のとおり、哲子はまったく気にしていないようすだった。

それから少しして、玉枝が利彦のシャツを受け取りに来た。急いで洗って乾かせば、明日には着ていけるということだった。

「あら、洗濯ならあたしがやりますけど」

百合子が申し出たが、玉枝は微笑みながら首を振った。

「お客様に、そんなことはさせられませんよ」

そう言って彼女はパジャマを置いて行った。新品で、利彦が袖《そで》を通してみるとぴったりだった。

「利彦さんのために買ったみたいね」

百合子が感心して言った。

「以前ここに住んでいたことがあるからね。その時に買ってあったのかもしれない」

パジャマのボタンをはめながら利彦は言った。

孝三たちは二郎や信夫と、部屋の片隅にあるホーム・バーで飲んでいた。話が弾むらしく、先程から何度も孝三の大きな笑い声が聞こえている。あとの二人はどちらかというと彼の聞き役で、グラス片手に頷《うなず》くといったところだった。

喜久子と真紀枝は、道代の部屋に行ったようだった。

「さて……と」

しばらくしてから孝三が立ち上がって、利彦たちの方に近づいて来た。「俺は先に風呂《ふろ》に入るが、ゆっくりやっといてくれ。腹が減ったら玉枝に言ってくればいい。何か作ってくれるだろう」

「かなり飲んだみたいだね」

カウンターに並んだボトルを見て、利彦は言った。

「以前に比べればかわいいもんだ。やっぱり年だな」

孝三は自嘲《じちょう》気味に笑った。実際、以前の彼の摂取量は、たいへんなものだった。

「ところで百合子さん」

彼は甥《おい》の恋人の名前を呼んだ。「今夜はごたごたしてすまなかったですね。次回は必ず埋め合わせをしますので」

百合子は唇を緩めて、「いいえ」と小声で答えた。

「じゃあ、俺はこれで」

「大丈夫かい？」

と利彦は訊いた。「心臓が弱ってるんだろ？　少し酔いをさましてからでないと、あぶないんじゃないかい？」

「大丈夫だ。それほど飲んでないよ」

孝三はその言葉のとおり、かなりしっかりした足取りで部屋を出て行った。

「叔父《おじ》さんって、とても頼りがいのある人なのね」

利彦の耳元で、百合子が遠慮がちに言った。彼女は少し引っ込み思案なところがあって、あまり人前ではしゃべれないのだった。

「ところがそうでもないのよね」

答えたのは向かいにすわっていた哲子だ。百合子の言葉が聞こえたらしい。「面倒見は良さそうだけど、お金のことになると別なのよね。身内からだってしっかり利子は取るし、期日にだって融通がきかないのよ」

「しかしそれは当然だよ」

隣りの敦司がビールを飲んでから言った。「身内だからって特別扱いしてたらキリがないもんな。むしろああいう徹底ぶりが、今の成功の秘密だと思うけどな。利彦さんだってそう思うだろう？」

「うん、まあ僕は叔父さんから金を借りたことがないので、何ともいえないけどね」

利彦は曖昧《あいまい》な表現を使った。

孝三の姿が消えてからは、庭へ出たり、電話をかけたりと各自の行動がまちまちになった。道代の部屋にいた妻たちが時折リビングにやって来ることもあった。

そんなふうにして一時間ほど経った頃、突然、玉枝がリビングに駆けこんで来た。彼女は一瞬どうしようかと迷ったようだが、結局一番近くのソファにすわっていた利彦の方にやって来た。

「大変です、旦那《だんな》様が……」

玉枝の声は少しもつれていた。彼女がこんなようすを見せるのは珍しいことだ。

「どうしたんだい？」

利彦は彼女の両肩を支えた。玉枝は一度ゆっくりと唾《つば》を飲みこむしぐさをしてから、あらためて利彦の顔を見た。

「あまりごゆっくりなので、お加減はどうですかと声をおかけしたんですが、返事がないんです。お風呂場のドアには内側から鍵《かぎ》が掛かっているし……」

どきり、と心臓がひとつ大きくバウンドしたような感触を利彦は受けた。

「眠っているんじゃないのかい？」

無理に穏やかな表情を作って言った。だが玉枝ははげしくかぶりを振った。

「何度声をかけても返事がないんです」

少しの間、部屋の中を沈黙が支配した。その場にいた者が、皆お互いの顔を見つめ合った。

最初に行動を起こしたのは二郎だった。「まずい」と言って廊下に走り出たのだ。そのようすを見て、信夫がはっとしたように目を見開き、二郎のあとに続いた。そして敦司。利彦はそのあとだった。

皆は風呂場に向かった。風呂場の前の洗面所では、全自動の洗濯機が動いていた。たぶん利彦のシャツを洗っているのだろう。そして、そのすぐ横にある風呂場のドアはぴったりと閉ざされたままだった。

敦司は洗濯機を止めようとしたが、操作方法がわからず、結局コンセントを抜くことでそれを停止させた。途端に静寂が襲って来たが、風呂場の中から何ひとつ物音がしてこないことも明らかになった。

二郎がドアをノックしたが、返事はなかった。そして玉枝が言うとおり、鍵が内側から掛かっていた。

「ここの鍵は？」

「ここにあります」

騒ぎを聞いてやって来た道代が、小さな鍵を差し出した。二郎はそれで鍵をはずし、ドアを開いた。

女たちからは悲鳴が、男たちの口からは呻《うめ》き声が漏れた。

湯船につかった孝三が、感情のない目をじっと天井のあたりに向けていたのだった。

3

「どうも先生、夜分ごくろうさまでした」

門の前で道代は、医師の田中《たなか》に何度も頭を下げた。田中は薄い髪をオールバックにした初老の男だ。彼は小さく頷いてから、

「気をつけるように言っていたのですがね。どうかお気を落とされぬように」

と気の毒そうに言った。

「あの……警察の方は解剖するようなことをおっしゃってましたが」

「そうですね、やるでしょうね。でもちゃんと元に戻して返してくれますよ」

田中はどうやら、彼女は孝三の遺体が切りきざまれることを心配しているのだと解釈したようだった。

医師が白のベンツに乗って去って行くのを見送ってから、道代は邸内に戻った。その目は、ある決意が秘められているように光っていた。

リビングにはこの日の客が全員揃っていた。死体が見つかってから二時間が過ぎている。どの顔にも疲れが滲《にじ》んでいた。

「義姉《ねえ》さん」

二郎が太った身体を椅子から起こして声をかけた。だがその次に何を言うべきかは決めていなかったらしく、何かの塊を飲みこんだような顔で黙った。

「全員揃っていますね？」

二郎を無視して、道代はフロア全体を見渡した。酒を飲んでいた時とほぼ同じ位置に、全員が腰を下ろしていた。

「重要な話があります」

低いがしっかりした声で道代は言った。とてもついさっき亭主を亡くした女の声とは思えないほどだった。何人かがびくりと背筋を伸ばした。

「主人は亡くなりました。いろいろと問題の多い人でしたが、山上家を支えてきたのはあの人ですし、立派に弔ってやりたいと思います」

利彦をはじめ全員が、戸惑ったような目でこの女主人を見た。彼女が何を言おうとし、そして何をやろうとしているのかがわからないのだ。

「弔いは神聖に行ないたいと思います」

道代は冷静な口調で、わずかに声を震わせながら言った。「したがって、もしこの中にその神聖さにふさわしくない人がいるのならば、今夜のうちに名乗り出ていただきたいのです」

「ちょっと待ってくれよ、姉さん」

信夫が狼狽《ろうばい》したように声をかけた。「それはどういう意味なのかな？　宗教的な話なのだとしたら、勘弁してほしいんだけどな」

「もちろんそういうものではありません」

彼女の声は落ち着いていた。「山上孝三の死に関して、後ろめたさのある方は、この場で名乗り出ていただきたいということなのです」

「後ろめたさ？」

信夫が訊《き》き直した。「どういうことだい？　義兄《にい》さんは自然死なのだから、誰も後ろめたくなんかないはずじゃないかい？」

彼の意見に何人かが頷《うなず》いた。

「いいえ」

だが、ここで道代の鋭い声が飛んだ。「自然死などではありません」

そして彼女は、全員にその警戒的な目を向けた。

「主人は殺されたのです」

4

「そんなはずはないのじゃないかしら」

信夫の妻の喜久子が、ややためらいがちに言った。「だってお医者さまも心臓麻痺《まひ》だっておっしゃったんでしょう？　だったら病死なんじゃないかしら」

「でも、それは言いきれないかもね」

哲子が生意気な口調でつぶやいた。皆の視線が彼女に集まる。

彼女は続けた。

「だって死因が心臓麻痺だというだけで、そこに第三者の意図が入っていないとは言いきれないんじゃない？」

「意図的に心臓麻痺を起こさせるのかい？　それはちょっと無理じゃないかな」

敦司が明快な調子で言った。哲子にしても敦司にしても、伯父《おじ》が死んだことに対して悲しんでいるようには見えなかった。

「いったい、なぜ義姉さんはそんなことを言い出すのですか？」

二郎が細い眉《まゆ》を下げて訊いた。道代は深く息を吸い、それをゆっくりと吐き出した。

「納得できないことがいくつかあるのです。ひとつは風呂場《ふろば》のドアに鍵が掛けてあったことです。主人は今までに、鍵を掛けたことなど一度もなかったのです。それから主人の髪が濡《ぬ》れていなかったことも不思議です。というのは、湯船に入る前に必ず髪を洗うのがあの人の習慣だったからです」

全員の息が一瞬止まったようだった。風呂場に鍵を掛けてあったことについては、誰もが不自然に感じていたのだ。

「鍵はともかく、髪を洗わなかったのは酔ってたからじゃありませんか？」

利彦が言ってみた。

「いいえ、そんなはずはありません」

だが道代はきっぱりと否定した。「あの人は必ず髪を洗うのです。どんな時でもそうしていました」

彼女の言葉があまりに自信に満ちているので、さすがに誰も反論できなかった。

「信夫」

道代は自分の弟に声をかけた。彼はびくっとして顔を上げた。

「あなたのところの設計事務所は、今かなり窮地に追いこまれているということだったわね。それで何度か主人に融資を頼んだようだけど、返済の見込みがないという理由ですべて断わられたでしょう。たとえ妻の実の弟でも、まったく融通をきかせないところがあの人のやり方でしたからね。でもそのことであなたが主人を恨んでいたことは知っています」

「姉さん、俺を疑っているのかい？」

信夫はうろたえた。「実の弟の俺を？」

「実の弟だから最初に名を挙げたのです」

道代の声には威厳すら感じられた。

「でも、もし計画的に心臓麻痺を起こさせるのだとしたら、入浴前に酒をたらふく飲ませるっていうのはひとつの手だよね」

敦司が世間話でもするような軽い口調で言った。「伯父さんは心臓が弱かったから、強いアルコールが入っていたら、心臓障害を起こす確率は高いよ。ふつうの酒を飲ませるふりをして、ウオッカあたりを混ぜるという手は案外いいかもしれない」

「おい、敦司君」

信夫が睨《にら》みつけた。「孝三氏と酒を飲んでいたのは俺だけじゃない。君の父親も一緒だったんだぞ」

「あは、そうか」

敦司は悪びれたようすもなく、首をすくめた。

「何を言うんだ。私は関係ない」

二郎が口をとがらせた。「私はあなたほど、義兄さんに酒をすすめていない。それに動機だってない」

「それは言いきれませんわ」

道代が言ったので、また全員の目が彼女に集中した。今や彼女の声は絶対的な力を持っているようだ。

「詳しいことは知りませんが、主人の金庫に、あなたの五百万円の借用書が入っていますね。返済期限はかなり過ぎているものですが」

「あれですか」

二郎はしかめっ面をこすった。「あれは株の関係でどうしても必要だったから、ちょっと借りただけです」

「あなた、あたしにはそんなことちっとも……」

真紀枝が自分の夫を睨んだ。夫の方は顔をそむけている。「言う必要もないと思ったんだ。すぐに返すつもりだったしな」

「でも期限が……」と道代。

「たしかに期限は過ぎているが、もう少し待ってもらうことになっていたんです」

「あの人がそう言ったのですか？」

道代は疑わしそうに二郎のたるんだ顔を見た。「あの山上が、待つって？」

信じられない、と彼女は付け足した。孝三がそんなことを言うとは考えられなかった。たとえ親戚《しんせき》でもけじめが大事だと、いつも言っていたのだ。

「そんなことを言っても、今すぐには返せないんだからしかたがないでしょう」

二郎が言ったのを聞いて、哲子は噴き出した。

「伯父さんが言ってたわね。借りる時には平身低頭でも、返す時には開き直るのがいるって」

二郎は顔を真っ赤にして立ち上がりかけたが、真紀枝に止められてまた椅子に戻った。

「落ち着いてください」

利彦が努めて穏やかな口調で呼びかけた。

「だいたい酒を飲ませたからといって、簡単に心臓麻痺が起こるものなのですか？　あまり確実な方法とはいえないじゃないですか？」

二郎と信夫が頷くのがわかった。が、哲子は、「確実じゃなくてもいいんじゃない？」と横から口を挟んだ。

「絶対に死んでもらわなくちゃ困るっていう状況でもないでしょ？　失敗しても何の証拠も残らないし。死んでくれればいいなという程度の……何ていうか」

「未必の故意」

敦司が補った。この二人は不思議に息が合っているようだ。

「そうそう。未必の故意の場合だと、心臓の弱い人間にお酒を飲ませてお風呂に入らせるっていうのは、案外いい方法なんじゃないかな。それに、罪悪感だって薄いでしょ」

ほんのいっとき人々の口が閉ざされたのは、彼女の言い分に妥当性を見出《みいだ》したからかもしれなかった。

「すばらしい推理だと思うわ、哲子さん」

道代は言った。「でもそれだけだと少し不充分なの。というのはね、先生のお話によると、お風呂に入ってから何か強いショックを受けたのだろうということなのよ。たとえば何かにひどく驚いたり、冷たい水をかぶったり……ね」

「ということは、そのショックを与えた者が犯人ということか」

利彦は思わず言っていた。

「敦司さん、あなた孝三さんがお風呂に入っている時に、庭の方へ出て行ったわね？」

信夫の妻の喜久子がふいに言った。その言葉に信夫も触発されたようだ。

「そうだ。たしか外に出ていたな。あのまま風呂場の窓のところまで行って、何かやったんじゃないのかい？」

「冗談じゃない、どうして僕がそんなことをしなくちゃいけないんだ？」

突然、矛先が自分に向けられたので、さすがに敦司もあわてたようだった。

「君には理由がないかもしれないがね、誰かに頼まれたということもありうる。その誰かが孝三氏に酒を飲ませて、入浴中に君がショックを与えるなんていうのは、絶妙のコンビネーションじゃないか」

「おい、それはどういう意味だ」

二郎が怒鳴り、信夫は立ち上がった。険悪な空気が充満して今にも破裂しそうになった時、「待ちなさい」と道代の声が入った。

「こういう争いをしていても事態の解決にはならないでしょう。とにかく腰を下ろしてください」

二人がすわるのを見届けてから、道代は再び話しはじめた。「感情だけで発言しないでください。一言でショックを与えるといっても、結構むずかしいものです。どういう方法があるかを皆で考えましょう。そうすれば真犯人も明白になるでしょうし、あるいは共犯者もわかるかもしれません」

「いいでしょう」

二郎が信夫たちの方を見ながら頷《うなず》いた。「結構」と信夫も答えた。

だが、このショックを与える方法というのが難問であった。

とくに窓に網戸のついていることが発想の範囲をせばめていた。外から何か力を加えるということはできない。網目を通るのは、直径三ミリ程度のものなのだ。

この条件の下で比較的納得できるアイディアを出したのは哲子だった。窓の外から冷たい水を孝三に浴びせたのではないかというのだ。たしかに水なら網戸があっても関係がない。

「実行は可能だけど、危険だな」

利彦が言った。「もし成功しなかったらどうする？　叔父《おじ》さんは犯人に対して釈明しろと言うだろうね。まさか悪戯《いたずら》じゃすまない」

「窓から何か、伯父《おじ》さんが驚くようなものを見せるというのはどうだい？」

敦司も意見を出した。「おばけの面か何かをさ。これならシャレだってごまかせるんじ
ゃないかな」

「ユニークだけど、だめね」

こう言ったのは道代だ。「あの人はそんなものぐらいでは驚かないわ。それにあの時間
だと外は真っ暗で、何も見えないんじゃないかしら」

それは言えるな、と敦司も諦《あきら》めたようだ。

このあとは意見が途切れた。どちらかというと、こういう思考には若者のほうが強い。

哲子や敦司が黙れば、もうほとんど声は出なくなった。

「今夜はこのへんにしたらどうかな？」

信夫が疲れた声で道代に申し出た。「みんな疲れてるし、いい考えなんか出そうにない
よ。それに犯人がこの中にいるにしても、逃げたりはしないだろう」

この意見には敵対している二郎も賛成らしく、二、三度首を縦に動かした。

「そうね」

道代は皆を見まわして溜息《ためいき》をついた。「じゃあ今夜はこのへんにしましょう」

やれやれというように何人かが立ち上がった。腰を叩《たた》いている者もいる。考えてみれば

相当の時間をこの部屋で過ごしているのだった。

「ちょっと待ってください」

この時、声をかけた者がいた。それが誰の声なのか、一瞬誰にもわからなかった。利彦にもわからなかった。そしてその声を発したのが百合子だとわかると、皆一様に意外そうな顔をした。

「あの、あたしもひとつだけ考えを言っていいですか？」

百合子は道代に声をかけたようだった。自分の部屋に戻りかけていた道代は、「ぜひ言ってちょうだい」と彼女に言った。

百合子は皆の顔を見まわし、それから最後に利彦に目を向けて、「電気じゃないかと思うんです」と言った。

「電気？」と利彦は問い返した。

「電気ショックを使ったんじゃないでしょうか？」

と彼女は言った。「一本のコードを湯船につけて電流を流せば、たとえ心臓が弱っていない人でも心臓障害を起こすような気がするんです」

「可能性はあるよ」

こう言って手を叩いたのは敦司だ。「問題はコードをどうするかだね」

「一本ずつなら網戸の目を通ると思うんです。あとはどうやって叔父さんに気づかれないようにするかですけど」

「お風呂場《ふろば》に行ってみましょう」

道代が廊下を足早に歩き、そのあとを皆が続いた。

風呂場を見れば、電気コードをどのように隠したかはすぐに明らかになった。窓のすぐ横に風呂の蓋《ふた》を立てかけてあるので、その後ろにコードを通し、湯船につけたのだろうと推理できた。

また、網戸の一部に、無理に何かを通したと思えるような跡が二箇所見つかった。

「間違いないよ。いやあ、お手柄だったね、百合子さん」

信夫が肩を叩いたので、百合子は少し恥ずかしそうにした。

「ちょっと待てよ」

この時敦司が腕組みをして、眉間《みけん》に皺《しわ》を寄せた。「もしこういう仕掛けを施すのだとしたら、いったい誰にできるかな？」

「細工するとしたら、義兄《にい》さんが風呂に入る前だから――」

信夫は少し考えて、それからすぐに顔を上げた。「われわれ男性は全員リビングにいたな。女性陣はどうだ？」

喜久子が真紀枝や道代と顔を見合わせて、

「あの時はまだ道代さんの部屋にいたわ」と言った。

「ということは……」

道代ははっとして周りの顔を見た。「玉枝さんはどこ？　どこにいるの？」

「いない、さっきまでいたのに……」と二郎。

「部屋だわ」

道代は人々を押しのけて廊下を走った。足がもつれて、階段のところでは何度も転びそうになった。

玉枝には二階の一室を与えている。そこのドアを開けると、玉枝の身体が宙にぶら下がっているのが見えた。

5

事件から十日が経った。孝三の急死と玉枝の自殺で落ち着く暇のなかった山上家に、ようやく以前と同じようなリズムが戻りつつあった。

利彦は百合子と結婚するまでの間をこの家で暮らすことになった。心細いのでそうしてくれと道代が頼んだのだった。

この日の午後、利彦は妙な二人連れの訪問客を迎えた。三十代半ばぐらいの男と、彼よりは十歳ぐらい若そうな女の組み合わせだ。

男は長身で、黒いスーツをぴっちりと着こなしていた。どことなく外人を連想させる彫りの深さだ。そして女の方も黒っぽいワンピースを着ていて、やはり日本人ばなれした体格をしていた。長く黒い髪が印象的だと利彦は思った。

「クラブの者です」

と男は利彦に言った。「奥様はご在宅でしょうか？」

「クラブ……といいますと」

利彦は怪訝《けげん》そうに下から二人を見上げて言った。「あの……ライオンズ・クラブの関係ですか？」

男は彼の顔をじっと見下ろし、それからゆっくりと頷いた。

「——の、ようなものです。そう言っていただければ、奥様にはおわかりいただけるだろうと思います」

利彦は釈然としなかったが、それ以上問いつめるのも変なので、道代に事情を話した。すると彼女の表情が、にわかに引き締まった。

「探偵倶楽部《くらぶ》よ」

と彼女は言った。「お金持ち専用の探偵よ。会員制でね、そこのメンバーの仕事しか請け負わないのよ」

「その探偵に何を依頼するんだい？」

利彦は訊《き》いた。

「ちょっとしたことよ。いずれ話すわ。とにかくすぐにお通ししてちょうだい」

そう言って、道代は大きな深呼吸をひとつした。

やって来た二人の男女と道代は応接室で顔を合わせた。道代は相手の反応を窺《うかが》いながら、

「探偵倶楽部の方ですね？」とおそるおそる確かめた。

「そうです」

と答えたのは男の方だ。抑揚のない、乾いた声だった。「御用は何でしょうか？」

道代は小さく吐息をついた。なんとなく安心したのだ。探偵倶楽部のことは孝三から聞いていたが、自分が利用するのは初めてである。もしかしたらいい加減な連中かもしれないと恐れていたのだが、こうして会ってみたところでは信用できそうだった。

「ご相談したいことというのは、先日亡くなった主人のことです」

思いきって道代は話し出した。男がかすかに頷《うなず》くのがわかった。「十日前のことです。心臓麻痺《まひ》で突然亡くなりました」

「風呂場で、だそうですね」

探偵が確認するような口調で言った。彼らが孝三の死について知っていたことで、道代はますます信用する気になった。顧客のもとへ来るのに、何の予備知識も用意してこないのでは、とても仕事を任せられないと思っていたのだ。

「表向きはそうです。主人が心臓の強いほうでなかったことは、皆さんご存じでしたので、いろいろな方から同情していただきました」

「しかし実際は違うということですね」

女の方が質問してきた。アナウンサーのように歯切れがよく、柔らかい声だった。この

女は探偵の助手らしい。

「心臓麻痺であることに違いはありません」と道代は言った。「ただ偶然の事故ではなかったということです」

「それはつまり」

と探偵は言った。「自殺したお手伝いさんの犯行だったというわけですね」

道代は彼の方に向き直った。「さすがによくご存じですわね」

「恐縮です」と探偵は頭を下げた。

「玉枝というお手伝いが主人を殺したのです」

道代は電気コードを使ったトリックと、彼女が自殺した経過について説明した。探偵は感心しながら聞いていたが、彼女が話し終えると、「なるほど」と大きく頷いた。そして組んでいた腕を外し、黒い上着の内ポケットから手帳を取り出した。

「そのお手伝いさんは犯行が暴露《ばれ》たために自殺したということですね。で、われわれは何をすればよいわけですか？」

「一言で言うと……」

道代は探偵と助手の女の顔を見較べて、

「真相の究明です」と言った。

探偵は怪訝そうに目を細くした。「どういうことですか？」

「まだ不可解なことが多いのです」

と彼女は答えた。「たとえば主人が髪を洗わずに湯船に入っていたことや、鍵《かぎ》が掛かっていたことです。それから玉枝が主人を殺した動機も見当たりません」

「でも玉枝さんがご主人を殺したということは事実なのでしょう?」

「それはたぶん事実です。ほかに自殺の動機がありませんから」

「しかし別に真相があると?」

「はい。何かひっかかるんです。気のせいならそれでもいいんですが」

「なるほど」

探偵は無表情のまま大きく頷いた。「やはり、玉枝さんの動機を究明することが必要だと思いますね。その方向でよろしいですか?」

「結構です」

そして道代は、あの夜にやって来た人間の名前を思い出しながら探偵にしゃべった。当然続柄《つづきがら》もである。探偵はそれらを素早く記録したあと、

「参考までに、そのパーティーのもようも詳しく話していただけますか」

と言った。

それで道代は話したが、敦司と行雄の喧嘩《けんか》のことに触れると、探偵の目が鋭くなった。

「そのお二人は、普段から仲が悪いのですか?」

「いえ、そんなことはありませんわ」

道代は答えた。「敦司さんのほうはちょっと短気なところもありますけど、あんなふう

に喧嘩するというのは珍しいことです」

「ほう」

探偵はボールペンでテーブルを叩《たた》きながら頷いた。

「ところでその風呂場《ふろば》ですが」

探偵は道代の顔を真っすぐに見据えて言った。「一度見せていただけますか？　どの程度の密室なのかを知っておきたいので」

「承知しました」

風呂場はきれいに掃除されていた。事件以後、数日間は道代も入る気になれなかったが、銭湯通いも面倒になって最近では沸かしているのだ。

「風呂場にこういうきちんとしたロックを付けるというのは珍しいですね。何か意味があるのですか？」

ドアのノブを触りながら探偵が訊いた。

「以前、若いお手伝いさんを雇おうとした時に、風呂場に鍵が掛からないと嫌だと言われたんです。その時に取り付けました」

「ほう。で、その鍵は奥さんが？」

「はい。私の部屋で保管していました。誰にも渡した覚えはありません」

探偵は頷き、風呂場の中に入って行った。大人一人がゆったりと横になれる湯船があって、その上に小さな窓がついている。

「この窓はどうなっていました？」

「開いていました」と道代は答えた。「でも外側に網戸がついているでしょう？　それは内側からネジで固定してあるので、外から取りはずすのは無理ですわ」

「たしかにそのようですね」

探偵は真剣な眼差《まなざ》しで、その網戸を眺めていた。

「報告は三日に一度行ないます」

応接室に戻ってから、探偵は言った。「それから、おそらく密室の謎はそれほどむずかしくないと思います」

「そうですか？」

「簡単です」

探偵は言った。「考えられることはひとつしかありません。ご主人が自分で鍵をお掛けになったのです。もちろんその理由はあるでしょう。そしてそれがたぶん、今度の事件の真相につながるものと考えられます」

6

探偵倶楽部は、約束どおり三日目の夜に報告をしてきた。電話をかけてきたのは助手の女だった。

「玉枝さんに娘さんがおられますね」

助手の女は言った。「そしてその娘さんには、今年二歳になるお子さんがいらっしゃいます」

「聞いたことがありますわ」

道代は答えた。あまり自分の家族のことは話さない玉枝だが、たしかにそういう話を聞いたことはある。

「そのお孫さんが心臓に欠陥があって、早急に手術をしなければいけないんだそうです」

そのことは知らなかった。「それで？」と道代は訊《き》いた。

「その手術費用というのがかなりの高額なんだそうですが、そのお金を玉枝さんが工面してやると言っていたそうです」

「玉枝さんが？」

「それで、玉枝さんがどういうお金をあてにしていたのか、わかりませんか？」

「わかりません」

道代は受話器を耳にあてたまま首を振った。「とくに大きな貯金があったとも思えませんし」

「そうですか」

それから助手の女は、青木行雄がヤクザに追われて姿をくらましていることも報告してきた。もっともそのことは道代も知っていた。なんでも、ヤクザの女に手を出して金をゆすられているらしい。そのうちに道代のところに金を借りに来るだろうが、今のところはまだ母親の喜久子が世間体を気にしているらしく、姿は見せていなかった。

以上の報告を受けたあと道代は電話を切った。

受話器を置いて振り返ると、すぐ後ろに利彦がいた。道代は少し驚き、それから微笑んだ。

「びっくりするじゃない。どうしたの？」

「例の探偵からかい？」と利彦は訊いた。

「そうよ」と道代は答えた。

「もう終わった事件なのに」

すると道代は笑みを浮かべたまま、彼のシャツについた糸クズを取った。

「納得できないことが多すぎるわ。あの事件には何か裏があるような気がする。それがはっきりするまでは事件は終わらないわ」

「気のせいだよ」と利彦は言った。「何もかも解決しているじゃないか」

「さあ、それはどうかしら」

そして道代は利彦の肩に手を乗せた。「今日、百合子さんとは会ったの？」

「いや……」

「そう。若いうちは毎日でも会ったほうがいいわよ」

そう言って道代は利彦の胸に額を寄せた。彼は大きく息を吐きながら、彼女の身体を離した。

「部屋に戻るよ」

「あとで行っていいかしら？」

「ごめん。仕事があるんだ」

「そう」

利彦は道代の前を離れると、階段をゆっくりと上がって行った。その後ろ姿を見ながら、数年前のある日のことを道代は思い出していた。

利彦を引きとって間もなくのことだった。彼の自分を見る目に、単なる叔母《おば》に対する視線以外のものを感じはじめたのだ。その目に自分がある種の期待を抱かなかったといえば嘘になる。むしろ何かを待っていたというべきだろう。孝三との夫婦生活に倦怠感《けんたいかん》も漂っていた。それだけに彼が若さにまかせて衝動的に向かって来た時の道代の抵抗は、じつに緩いものであった。待っていた――それが正直な気持ちだったのだ。

二人の秘密の関係は、ひじょうに長いインターバルで、その後も続いた。そのインターバルがさらに延びたと思えた時、彼に恋人が出来ていたことを知ったのだった。

寂しさと嫉妬《しっと》――歳甲斐《としがい》もなくそんな感情が彼女の胸を支配していた。

しかし、自分が彼にとっての最初の女だったという自負はつねに彼女の心のどこかにあった。それが彼女を支えているともいえる。彼が自分のことを忘れられるはずはないのだと。

7

さらに三日が経ってから探偵倶楽部の二人が山上家にやって来た。道代はさすがに不安な気持ちを抑えきれぬまま彼らと対面した。

「わかりましたか?」

彼女は二人を交互に見ながら言った。

「なんとか」

探偵は軽く頭を下げた。「たぶん今回の事件の真相を摑《つか》んだと考えております」

ふうっと道代は息を吐いた。緊張と不安の混じった吐息である。

「ではさっそくお聞かせください」

道代は探偵たちを応接室に通した。

探偵は道代にレポート用紙の束を渡した。

「まずわれわれが注目したのは、玉枝さんがあのような殺害方法を選択したという事実でした。あのようなとは、すなわち、電気のコードを風呂場の網戸の網目を通して湯船につけ、そこに電流を流して孝三氏に電気ショックを与えるという方法です」

「その方法に何か疑問があるのですか?」

道代は頭の中で反芻《はんすう》しながら訊いた。

「いえ、方法自体に問題はありません。ですから、玉枝さんがあの方法を用いたことが注目に値するのです。玉枝さんの年齢は五十一歳です。いかに科学が氾濫《はんらん》している世の中とはいえ、彼女の年齢を考えると、そのような手段を思いついたことが不自然だと思うわけです」

あっと思わず道代は声を出していた。今までそのことを考えたことがなかったのだ。そう言われればたしかに不自然である。

「そこでわれわれは考えました。この殺害方法を考えたのは、彼女以外の人間ではなかったかと」

「彼女以外の人間？　それはあの日のメンバーの中に入っているのですか？」

「もちろん入っていると考えるのが妥当でしょうね」

探偵は軽く咳《せき》ばらいをした。「では誰が彼女に殺害方法の指示を出したか、ですが、これはつまり殺人を命じるわけですから、玉枝さんにとってかなり影響力の大きな人物だと考えられるでしょう」

「影響力」

道代は繰り返した。ふだんあまり使わない、不思議な響きのある言葉だった。

「ではそれは誰かという問題ですが」

探偵はレポートの一枚目を差した。そこには例の玉枝の孫に関わる調査結果を記してあった。

「玉枝さんは何としてでも金を入手する必要があったらしいですね。しかも調査によると入手するあてがあったようです」

「らしいですね」

「そこで推理できることは、その金を出してくれる人物こそ、彼女に大きな影響力を与えうる人間ではないかということです」

「大金を出してくれる人間――」

道代はいろいろな顔を思い出した。青木信夫、中山二郎……。

彼女は首を振った。「とても大金を出せる人間なんていないわ」

探偵は口の端を曲げた。「ひとり、お忘れのようですね」

「ひとり？」

道代はもう一度全員の顔を思い浮かべた。抜けはないはずだ。利彦や敦司が大金を持っているはずもない。

「思い当たらないわ。うちの親戚《しんせき》で金を持っているといえば、主人ぐらいのもの――」

道代の声が中途半端に途切れた。助手の女が、かすかに笑ったような気がした。

「まさか」と道代はつぶやいた。さすがに声がかすれた。「まさか主人が……」

「その、まさかです」と探偵は言った。「それ以外には考えられません」

「でも殺されたのが主人なのよ。自分を殺すように指示するっていうの？」

言いながら彼女は、はっとした。「自殺……？」

「ええ」と探偵は頷《うなず》いてみせた。「そう考えると、さまざまな部分で辻褄《つじつま》の合うことがかりました。たとえば例の電気コードの設置ですが、あれは孝三氏が風呂《ふろ》に入る前に施されていたわけではなく、彼が入ってから外の者——つまり玉枝さんと一緒に行なったと考えればどうでしょう？　玉枝さんは外からコードを渡す、中の孝三氏は受け取ってそれを湯船の中まで導く……という具合にね。もしその時に誰か——たとえば奥さんなどが入って来たりしたら大変なので、風呂場には鍵《かぎ》を掛けておく。そして自殺するのだから、髪などは洗わない——」

道代は呆然《ぼうぜん》として彼の話を聞いた。「あれは自殺だったの？」

だが探偵はすぐに首を振った。「いいえ、たしかに辻褄は合うのですが、やはり無理だという結論に達しました。たしかにプライドの高い人間が自殺を恥じて他殺に見せかけ自らの命を絶つというケースがよくありますが、われわれが調べた限りでは、孝三氏が自殺する動機など見当たらなかったのです」

そうでしょうね、と道代は言った。そして少し安堵《あんど》した。

探偵は続けた。

「しかし、電気コードの仕掛けを孝三氏が指示したという考えに、われわれは固執しました。そこでまったく違う考え方をしてみたのです。つまり、孝三氏は自分以外の誰かを殺すためにその仕掛けを施そうとしたのではないか……と」

「自分以外の誰か？」

「そうです。ところが途中で玉枝さんに裏切られ、逆に自分が殺されることになったのではないか——」

「その主人が殺そうとしていた人間というのは、もしかしたら……」

「そうです」

探偵は瞼《まぶた》を閉じて頷いた。「あなたですよ、奥さん」

8

孝三は自分を殺そうとしていた——。

道代は軽いめまいを感じた。考えたこともなかった。

「調査の結果、孝三氏に女がいたことがわかりました」

探偵は二枚目のレポートをめくった。そこには若い女の上半身を写した写真が貼ってあった。

「クラブのホステスです」と探偵は言った。

「孝三氏はかなり本気だったようですね。関係者からの話を総合すると、一緒になりたいと漏らしていたようです」

レポートを持つ道代の手が震えた。「私を殺してこの女と……」

「動機はあるわけです」

道代の興奮をよそに、探偵の口調はあくまでも事務的だった。「要するにこういうふうに推理できるのです。まず孝三氏は、玉枝さんが金を欲している点に目をつけ、奥さんを殺す計画をもちかける。当然、報酬は彼女の孫の治療費です。で、計画は例の電気コードを使った方法で殺すということでした。ところが玉枝さんは、孝三氏の言うとおりにするつもりはなかった。たぶん、孝三氏が死んで財産が奥さんの方に移れば、相談しだいで治療費も貸してもらえると考えたのでしょう。どうせ誰かを殺さねばならないのなら、日頃世話になった奥さんよりも、孝三氏のほうを選んだということです。孝三氏は何も知らずにコードを湯船にセットする。そしてセットの途中で玉枝さんはもう一方のコードの端をコンセントに差し込んだということです」

「だから」

道代はつぶやいた。「髪なんか洗ってる暇はなかったのね」

「ただ」

探偵は声のトーンを落とした。「これでもまだ疑問は残るのです。もし玉枝さんの裏切りがなく、奥さんが風呂場で亡くなった場合、医者はなんと言いますかね？　孝三氏は心臓が弱かったから疑問を持たれなかったが、奥さんが心臓麻痺《まひ》というと、かなり怪しむでしょうね。あるいは感電死と見抜くかもしれない」

「たしかに……」

「その点をどうするつもりだったのかを考えてみました。その結果、じつに巧妙な罠《わな》が仕掛けてあったことがわかったのです」

「罠?」

「そうです。犯人たちはあなたを感電死させ、その死体を医師や警察が調べても不審に思わない状況を作っていたのです」

「犯人……たち?」

どういうことだろうと道代は思った。玉枝と孝三のことを言っているのだろうか?

「すなわち、洗濯機です」

探偵は何かを宣告するように言った。「感電死した奥さんの死体が浴槽の中に浮かんでいたら、警察が怪しむ可能性は強いでしょうね。ところが、もし死体が洗濯機のそばに倒れていたら、そしてその洗濯機が漏電していたらどうでしょう? 警察は単なる事故として処理するのではないでしょうか?」

さあーっと全身の鳥肌が立つのを道代は感じた。

「犯人たちは、あなたを浴槽の中で感電死させたのち、洗濯機のそばまで運ぶつもりだったのです」

「でも……うちの洗濯機は漏電なんかしていないわ」

「しかし洗濯機のそばに感電死した人間が倒れていたら、警察は必ず訊《き》きます。この洗濯機に最近異常はなかったか、と」

「異常なんかない、と答えるでしょうね」

「そうでしょうか。おそらくその質問に対して誰かが答えると思いますね。夕方若い者が喧嘩《けんか》をして、洗濯機を倒した……と」

「あ……」

「そしておそらく犯人たちはアース線も外しておいたでしょうね。それで完璧《かんぺき》です。警察は洗濯機を調べるでしょうが、現在漏電してないからといって、過去にしなかったとは断言できない。たぶん喧嘩で倒された拍子に、どこかが一時的に漏電したものとみなすでしょうね。そして誰も怪しまれない」

「喧嘩をしたのは敦司と行雄……あの二人も仲間だったのね」

そういえば、ずいぶんつまらない原因で争いが始まったのだった。

「いや、たぶん仲間なのは行雄さんだけでしょう。敦司さんは喧嘩を売られただけですよ。行雄さんはヤクザの女に手を出して、金が必要でしたから、孝三氏に雇われたんでしょう」

「すると」

道代は深い溜息《ためいき》をつき、髪を掻きあげた。「主人と玉枝さんと行雄――この三人がグルになって私を殺そうとしたというわけね」

だが探偵はすぐには答えず、小さく右に首を傾けた。この男がそういう中途半端な態度をとることは珍しかったので、道代はおやと思った。

「じつはもう一人仲間がいるようなのです」

探偵は言った。「この顔ぶれとその性格を考えると、どうも今回の計画を考え出したとは思えないのです。もう一人ブレーンになる人間がいたと思います」

「ブレーン？」

「そこで思い出すのは、入浴時に洗濯機が動いていたことです。犯人たちとしては、奥さんが風呂上がりに洗濯機の漏電事故で死んだことにしたいのだから、当然電源が入っていなくてはならないわけですよね。しかしなぜあんな時刻に洗濯機に電源が入っていたのか？　それはある人物が意図的に動かすように仕向けたからです」

「利彦さんが？」

喧嘩の仲裁に入り、シャツが汚れたと言った。そして、明日このシャツを着て人に会うので、今日じゅうに洗ってほしいと言った——。

「利彦さんが」

道代は繰り返した。ある意味では、孝三が自分を殺そうとしていたことを知った時以上にショックだった。

「彼の性格から考えると、このような緻密《ちみつ》な計画を立てても不思議ではないと思います。彼がブレーンであったと断言していいと思います。ただひとつ、われわれにもわからないことがありました。それは利彦氏が奥さんを殺そうとした動機です。なぜ孝三氏の誘いに乗ったか——それだけがわからない」

孝三は——。

おそらく自分と利彦の関係を知っていたのだろうと道代は思った。そして利彦が道代との関係を清算したがっていたことも孝三は知っていたのだ。

道代は探偵のレポートをぼんやりと眺めた。そこには利彦の写真も貼ってある。

利彦は色白で、金縁の眼鏡をかけていた。

依頼人の娘

1

八月の晴れたある日、美幸《みゆき》がクラブの練習を終えて家の前まで帰って来た時、家の中から妙な空気が漂っていることに彼女は気づいた。

美幸は立ち止まり、門のところから家を眺め直した。偽物が持つムードだった。家全体が、そっくりそのまま偽物とすり替えられたような雰囲気を持っている。

だがもちろんそんなことは不可能だった。美幸はちょっと首を傾げ、さらに肩をすくめたのち、家に入った。玄関に鍵《かぎ》は掛かっていなかった。

「ただいま」

靴を脱ぎながら美幸は言った。が、井戸の中に向かって叫んだみたいに、いつまでも声が残っているような気がした。そして何の反応もない。

「誰もいないの?」

もう一度呼びかけた時、自分が脱いだ靴の横に、見覚えのある革靴を見つけた。見覚えがあるはずだ。それは父陽助《ようすけ》の靴なのだ。

父の靴は奇麗に揃えて置いてあった。

「お父さんいるの？　お母さんは？」

美幸は廊下を進んで行った。リビング・ルームのドアが開いていて、そこから灯《あか》りが漏れている。

「ねえ誰か……」

部屋に足を踏み入れた時、彼女は一瞬息を飲んだ。ソファの上にすわっている影が目に飛びこんできたからだった。それは父陽助の後ろ姿だった。白い半袖《はんそで》のシャツを着た彼の背が、岩のようにうずくまっていた。

「どうしたの？」

彼女は訊《き》いてみた。陽助の左手の指には火を点《つ》けた煙草が挟まれていて、ゆらゆらと白い煙を立ち昇らせていた。

ひと呼吸あって、彼の首が彼女の方に少し向けられた。それから彼は、思い出したように煙草の灰を灰皿に落とした。

「美幸か」

かすれ気味の、ひどく重い声だった。

「じつは……」

彼がその続きをしゃべろうとした時、玄関のチャイムが鳴った。彼はぎくりとしたように言葉を切り、玄関の方に目を向けた。

「何なの？」

と美幸は訊いた。

だが陽助は辛《つら》そうに頰を痙攣《けいれん》させただけだった。

そして自分の娘から顔をそらせると、ややもつれた足取りで廊下を走って行った。

陽助が玄関のドアを開けると、制服警官が立っていた。

埴輪《はにわ》みたいに表情の乏しい男が二人だった。片方の警官が陽助に言った。

「死体は？」

死体――？

しっ、と陽助は警官に言い、美幸の方を振り返った。

この瞬間、美幸はどのような種類の事態が起こったのかを感じ取った。そして自分でも無意識のうちに足が動き出していた。

「あっ、二階に行っちゃだめだ」

彼女が階段を駆け上がった時、陽助が叫んだ。

だがその声は彼女の足を止めることはできなかった。彼女の直感の、強い裏付けになっただけだった。

美幸はほとんど迷うことなく、両親の部屋のドアを開けた。そしてそこに母親の姿を見た。

母は死んでいた。

2

八月のある日、美幸が家に帰ると母親が死んでいた——。

しかも血にまみれて死んでいたのだ。

白いベッド・カバーに描かれた模様が、その時の出血のすさまじさを物語っていたが、彼女の記憶にあるのはそこまでだった。気がついた時、美幸は自分の部屋のベッドの上にいたのだ。

足元が重いので目を向けると、姉の享子《きようこ》がうつぶせになっていた。ベッドのそばにすわりこんで、両腕を美幸の足元に置き、さらにその上に額を乗せているのだった。

享子は身動きひとつしなかった。それで美幸が少し身体を起こすと、これに応《こた》えるように享子も顔を上げた。

「気がついたのね」

姉は言った。熱病にかかったような声だった。

「あたし」

と言って美幸は自分の頬に触れた。「夢を見てたのかな」

享子はひどく重そうに首を振った。

「残念だけど……夢じゃないのよ」

美幸は黙った。何かが腹の下の方から上がって来た。

「お母さんね」

と言って享子は真っすぐに美幸を見た。

「死んだのよ」

沈黙。

「殺されたの」

「…………」

美幸は何か答えようとした。だが歯がうまく咬《か》みあいそうになかったし、声もまともに出てくれそうになかった。心臓だけがやたら跳ねた。

「殺されたのよ」

享子はもう一度言った。妹がまだうまく事態を把握しきれていないと思ったようだ。

「だれ……に？」

ようやくそれだけ声になった。

「まだわからないわ」

享子は言った。「今、警察の人が来て、いろいろと調べてるわ。聞こえるでしょ？」

たしかに大勢の人間の動く気配や、話し声が伝わってきていた。

美幸は頭から布団をかぶった。そしてしばらく大声をあげて泣いた。

涙が涸《か》れた頃、ドアをノックする音がした。享子が立って行く気配がして、また戻って来たようだ。そして美幸の耳元に顔を近づけてきて、

「警察の人がね、あたしたちから話を聞きたいって」

と言った。「どうする？　美幸はもう少し後にしてもらう？」

美幸は少し考えた後、布団の下でかぶりを振った。誰にも会いたくない気分には違いなかったが、警察の人間から詳しい事情を聞いてみたかったのだ。

彼女が身を起こすのを待って、享子がドアを開けた。入って来たのは、三十過ぎぐらいの体格のいい男だった。

「少しだけ質問させてもらっていいかな？」

ベッドの横に腰を下ろして男は訊いた。優しい声だった。美幸は頷《うなず》いた。

「クラブに行ってたそうだけど、帰って来たのは何時頃なのかな？」

美幸は高校のテニス部に入っているのだ。

「え……と、二時半を少し過ぎていたと思います」

二時まで練習があって、その後で友達とジュースを飲んでから帰って来たのだ。

「で、お母さんを見たんだね？」

「はい……」

「そして気を失っちゃったんだね？」

美幸は俯《うつむ》いた。母の死体を見て気を失ったことが、何だか申し訳なく思えた。

「帰って来てからお母さんの部屋に入るまでのことを教えてくれるかな？」

彼女は思い出しながらゆっくりと語った。どうということのない話だった。

「お母さんの部屋に行って、何か気づいたことはなかったかな？　いつもと違っていることとか」

「いつもと違う？」

一番違うのは母が死んでいたことだ。だがそれ以外となると何も思い当たらなかった。そんなことを考えている余裕などなかったのだ。

刑事の視線は享子に移された。

「あなたはいつ頃、お帰りになりましたか？」

「三時頃です。その時にはもう警察の方が見えていました」

さすがに大学生らしく、享子ははっきりした口調で答えた。

「失礼ですが、どちらにお出かけだったのですか？」

「図書館です」と彼女は答えた。「昼頃出ました」

「昼頃というと何時頃ですか？」

享子はちょっと首を傾げてから、

「一時過ぎだったと思います。昼食を摂《と》ってから家を出たんです」

と答えた。

「家を出る時、お母さんは家におられたのですね？」

「いました」

「何か変わったようすは？」

刑事の質問に、享子はまた首を捻《ひね》った。そして軽く瞼《まぶた》を閉じていたが、やがて目を開けて刑事を見た。

「さあ、別に何も思い当たりません」

「そうですか」

それから刑事は、この家の戸締まりについて尋ねてきた。つまり母親の妙子《たえこ》が一人で家にいる時、どういうところに鍵を掛けているかという質問だった。

「ほとんど無防備です」

享子が代表して答えた。「玄関もそうですけど、庭の方からも家に入ることはできると思います。門は開けっぱなしだし」

美幸は暗い気分で姉の話を聞いていた。これからは家にいる時でも、神経質にあちこちを施錠しなければならないのだろうか――。

このあと刑事は二人に、事件について何か心当たりはないかと訊《き》いた。二人とも、当然のように首を振った。刑事は頷いて手帳を閉じた。

「あの……」

彼が腰を上げるのを見て、美幸はあわてて声をかけた。刑事は中腰のまま静止して、彼女の顔を見返した。

「あの……母は、どんなふうに殺されていたんですか？」

するど刑事は戸惑ったような顔をして、ちらりと享子の方を見た。しゃべってもいいのか、と尋ねるような視線だった。それで美幸は姉を見た。

「胸をナイフで刺されたのよ」

しかたなさそうに享子は言った。言いながら自分の胸の左側を人差し指でなぞった。

「だからものすごく血が出ていたのよ。見たでしょ？」

見た、と言ったが、うまく声にならなかった。代わりに身体が震えてきた。

「自殺の可能性はないんですよね？」

享子が確認すると、刑事も頷いた。

「凶器と思われる果物ナイフが、部屋の隅に置いてあるゴミ箱の中から発見され、指紋が拭《ふ》き取ってありましたからね。われわれは他殺と考えています」

「それで……母は何時頃に殺されたのですか？」

美幸がおそるおそる訊くと、刑事は手帳を開き直して、「今までの証言を総合すると、享子さんが家を出られた一時頃から、ご主人――お二人のお父さんですな――が死体を発見した二時半までの間ということになりますね」

「一時から二時半……」

そう反復してから、美幸は疑問を抱いた。

「お父さんはどうして今日は早かったの？」

陽助は地元にある薬品メーカーの営業関係の重役だ。だが今までこんなに早く帰って来ることなどほとんどなかったのだ。

「気分が悪くなったから早退して来たんだって」

享子が教えてくれた。「だけどこんなことになって、とてもそれどころじゃなくなっちゃったようね」

「お父さん……父が最初に母が死んでいるのを見つけたんですか？」

美幸は刑事に訊いた。

「そうだよ。見つけてからすぐに警察に連絡されてね。で、その直後に君が帰って来たみたいだね」

「直後に……」

「まあ捜査の関係で少しうるさくするけど、君はゆっくり休んだほうがいいね。もうこれで用は済んだから」

そう言って刑事は出て行った。享子も彼のあとについて出て行った。

二人がいなくなってから、美幸はまた布団をかぶった。だが頭は冴《さ》えていた。

もし陽助が帰った時に、妙子が死んでいたのだとしたら……。

――お父さんは脱いだ靴を揃えるような人じゃない。それならば、あの靴を揃えたのはいったい誰なんだろう？

3

応接間では別の刑事が、この家の主人である的場《まとば》陽助から事情聴取を行なっていた。

「これは形式的な質問なんですが」と刑事は前置きした。「二時半頃に帰宅されたということですが、それが確実だということをなんとか証明できませんか？」

「証明？　私を疑っておられるわけですか？」

陽助は少し声のトーンを上げた。表情も険しくなっている。刑事はひらひらと右手の掌《てのひら》を振ってみせた。

「肝心な時刻ですからね。それが客観的にも事実だという証拠があれば、今後の捜査に迷いが出なくていいんですよ」

刑事はねっとりとしたしゃべり方をした。

陽助はふうーっと息を吐き、額に手を当ててから、

「証人が身内でもいいんですか？」

と訊いた。

「身内……と言われますと？」

「家内の妹で、大塚典子《おおつかのりこ》さんです。この近くに住んでいるんですが、今日二時頃会社を出

た時、偶然彼女に会ったんですよ。ちょうど家に帰るところだというので、車に乗せてあげました。彼女に訊いてもらえれば証明してくれると思いますが、そういうわけで身内なものですから」

「なるほど」

刑事はちょっと考えこんだあとで頷《うなず》いた。

「ほかにはないですか？」

「そうですねえ……」

陽助は頭をくしゃくしゃと掻《か》いていたが、やがて何かに思い当たったように、その手を止めた。

「証明になるかどうかはわかりませんが、二時過ぎに電話をかけました」

「電話？　どちらへですか？」

「まずこの家にです。これから帰るということを知らせておきたかったものですから。でも誰も出ないので、お隣りにかけました」

「ちょ、ちょっと待ってください」

刑事はあわてたようすで右手を出した。「そういうことはもっと早く言っていただきたかったですね。すごく重要なことです。二時過ぎに電話しても誰も出なかったんですね」

「そうです」

「で、お隣りに電話したわけですか？」

「心配になったので、家のようすを見てもらえないかと頼んだのです」

「どういう答えでしたか？」

「誰もいないようだ、と奥さんはおっしゃいました。それで、どこかに出かけたのかなと思ったんですが」

「電話をかけた時、妙子さんの妹さんも一緒だったのですね？」

「一緒でした」

「ほう……」

刑事はシャープ・ペンシルの頭で鼻の横を掻き、大きな唸《うな》り声をひとつあげた。


「娘さんのようすはどうだ？」

美幸の部屋から出て来た真田《さなだ》に、つい今まで陽助から事情を聞いていた先輩格の田宮《たみや》が訊《き》いた。二人とも捜査一課の捜査員である。田宮は真田と違って、やや痩《や》せ気味で頬骨も出ている。ギョロリとした目に妙なすごみがあって、高校一年の女子から事情聴取するには、少々不向きと思われた。それで真田が一人で行ったのだ。

「上の娘さんが家を出たのが一時か……。まあ話は合うな」

真田の報告を聞いて、田宮は頷いた。「殺されたのはだいたい二時頃だろうということだ。その間、妙子夫人は一人っきりだった。犯人はそこを狙ったということだな」

「物盗りではないようですね」

「違うな」

と田宮は言った。「室内を物色した形跡がない。事実、盗まれたものはないようだ」

「乱暴されたようすもないんでしょう？」

「ない。あとは怨恨《えんこん》、あるいは痴情……」

「――亭主との仲はどうだったんですか？」

真田は声をひそめた。「二時半に帰って来たということですけど、裏は取れてるんですか？」

「うん、その点に関しては証人がいるようなんだ」

田宮は殺された妙子の妹が証人になっていることを後輩の刑事に話した。もっとも、当の大塚典子が留守のため、まだ確認は取れていない。

「的場妙子の実の妹なんですか？」

真田は疑わしげな目をして訊いた。

「もちろんだ、姉妹仲がどうだったかまでは、まだ調べてないがな」

「偶然会ったなんて、ちょっとうますぎる気がするなあ」

「しかしそれだけで疑うわけにもいかんだろう。――それより、ちょっと一緒に来てくれないか」

田宮が真田を連れて行ったのは、隣りの家だった。的場家よりは少し小さいが、それでも二台分の駐車スペースを持っている。

玄関に出て来たのは、少々無駄肉がつき過ぎた、いかにも噂話が好きそうな中年女性だった。当然事件のことも知っているわけで、田宮たちが名乗ると、目を輝かせて質問を催促した。

「的場さんの話によると、二時過ぎにお宅に電話したということですが」

田宮が、陽助から聞いた話の確認をした。隣りの主婦は大きく首を縦に振った。

「たしかに電話がかかってきました。家のようすを見てくれとおっしゃるものですから、あたし、わざわざわざうちの二階に上がって覗《のぞ》いたんですよ」

わざわざ、というところで彼女はとくに声を大きくした。

「で、その時には人気《ひとけ》はなかったのですね？」と田宮は訊いた。

「ええ、それがねえ……」

隣りの主婦は両手を組んだり離したりしながら、もじもじし始めた。言いにくそうにしているというより、もう少し強く尋ねられるのを待っているという感じだった。

「何かあったんですね？」

と田宮は、彼女の期待どおり強く訊いてみた。

「それがねえ、まあ刑事さんだからしゃべりますけどね」

彼女は、たった今決心したというように顔を上げた。

「セールスマンか何かかもしれないんですけどね、玄関先でうろうろしていた男の人がいたんですよ」

「男？」と田宮は顔を引き締めた。「どういう男でしたか？」

先輩刑事が訊く横で、真田はあわてて手帳を構えた。

「ええとね、四十前ぐらいで、細身な人でした。髪は長めで、鼻の高い整った顔立ちをしていました。バリッとした紺色のスーツを着ていて、それから大きなバッグを持ってたみたいです。ボストン・バッグみたいなのですけど」

「バッグ……ですか」

田宮は首を少し傾けた。「で、その男はその後どうしましたか？」

「さあ。ちょっと目を離した隙にいなくなっちゃったんですよ」

「男がね」

刑事たちは主婦に礼を言ってから、その家を出た。

田宮たちが的場家に戻ると、被害者妙子の実妹だという大塚典子が来ている、ということだった。彼らは的場家の応接間で彼女と会った。

典子は三十半ばくらいの落ち着いた女性だった。妙子も整った顔立ちをしていたようだが、妹のほうも美人といえるだろう。ほんの少し目の縁が赤くなっているぐらいで、とくに取り乱したようすもない。ただ両手に握り締めたハンカチが、妙に田宮の気を引いた。

田宮はまず妙子が殺されたことに関して、何か思い当たることがないか訊いた。彼女の最近の言動や、交際範囲などである。

だが典子の返答は、刑事たちにとってとくに参考になるものではなかった。最近はあまり会っていなかったらしいのだ。

「今日はお出かけだったようですね？」

一通りの質問を終えてから田宮が訊いた。「どちらへ行っておられたのですか？」

「ちょっと街へ買い物に出ていました」

典子はあまり抑揚のない口調で答えた。

「それからいったん家に帰って、また近くのスーパーに出かけていたんです」

「買い物はお一人ですか？」

「買い物は一人でした。でも帰りに陽助さんと会いました。それで家まで車で送っていただいたんです」

田宮はちらりと横の真田と目を合わせてから、

「陽助さんと会ったのは何時頃ですか？」と訊いた。

典子は首を傾げてから、「二時頃だったと思います」と答えた。

「そのまま真っすぐ帰ったんですね？」

すると彼女は、「いえ」と言って何かを考えるしぐさを見せた。

「一度、陽助さんが家に電話をかけられました。そのあとすぐ帰りました」

「なるほど。いや、どうもありがとうございました」

刑事たちは彼女に向かって頭を下げた。

4

事件から四日が過ぎた。警察は精力的に動きまわっているようだが、犯人逮捕の目処《めど》はまだつかないようだった。

美幸は、この日、久しぶりにテニス部の練習に参加した。少しでも気をまぎらわせようと思ったのだ。他の部員たちは、いつもより多く声をかけてくれる。それに応《こた》えるため、彼女もがんばって明るく振る舞った。

練習のあと、同輩たちと行きつけのフルーツ・パーラーに入った。ここでジュースを飲みながら仲間とダベり合うのが楽しみの一つなのだ。

何かの拍子に話題が自動車のことに移った。どういう車種が好きかという話だ。

「美幸のパパも、いい車に乗ってるよね」

知美《ともみ》という友人が言った。

「そうかな」

と美幸は首を傾げながら答えた。陽助はアウディに乗っている。

「格好いいよ。うちのなんてさ、国産のうえにもう何年も前に買ったのだから、デザインなんかもダサくてさあ。ドライブに行っても、冴《さ》えないのよね。格好悪くって」

「そういえば、この前、美幸のお父さんが車に乗ってるとこ見たよ」

もう一人の厚子《あつこ》という友人が言った。「ほら、あたしが足の怪我でクラブを休んだ日。病院に行く途中、一丁目の信号の所で止まってるのを見たの」

この友人が練習を休んだ日といえば、事件のあった日だ――。

美幸はそのことに思い当たると、つい口を閉ざして俯《うつむ》いてしまった。知美がそんなようすに気づいて、厚子の脇を突《つつ》くのがわかった。

「あ、ごめん」

厚子は声を落として言った。「あたしって鈍感だから……ごめんなさい」

「いいの、気にしないで」

美幸は顔を上げると、白い歯を見せた。

「それよりうちのお父さん、誰かと一緒だったんじゃない？」

陽助はあの日、会社を出てすぐ叔母《おば》の典子と会ったという話だ。一丁目にいた頃なら、彼女も一緒だったはずだ。

だが厚子は不思議そうな顔つきで、

「ううん、お一人だったわよ」

と答えた。

では典子を家に送って行った後だったのだろうか？

「それ、何時頃だった？」

美幸が訊《き》くと、厚子はちょっと考えたあと、

「たしか一時半頃ね」

と言った。「あたし、病院に一時四十分頃に着いたんだもの。間違いないわ」

「一時半……」

美幸は小首を傾げた。陽助の話だと、二時前に会社を出て、二時半頃家に着いたということなのだ。そんな時刻に街を車で走っているはずがない。

「ねえ、それ間違いない？」

「うん、間違いないと思うけど」

厚子は自分がまた何か拙《まず》いことでも言ったのかと思ったらしく、不安そうな顔をした。

友人たちと別れて家に帰る途中、美幸は後ろから肩を叩《たた》かれた。振り向くと姉の享子が後ろに来ていた。

「姉さん……」

「どうかしたの？　何か考えこんでたみたいだけど」と享子は訊いた。

美幸は一瞬迷ったが、陽助の行動に疑問点があることを、姉に話してみることにした。他人にはとても話せる内容ではない。

歩きながら話していたが、聞き終わったあとも享子は何も言わず、ただ黙々と家に向かって足を動かし続けていた。そして門をくぐって玄関に入ると、美幸の両肩を摑《つか》んで真っすぐに顔を見下ろしてきた。こわい目だと美幸は思った。

「そのこと、誰にもしゃべってないわね？」

　享子が訊いた。低いが、力のこもった声だった。

　美幸が頷《うなず》くと、享子は安心したように頷いた。そして肩から手を離した。

「いい？　これからも絶対しゃべっちゃだめよ。それから、その友達にも言っときなさい。それは人違いだろうから、よそでしゃべったりしないようにってね」

「どうしてなの？」

　美幸は訊いた。「厚子はお父さんの顔をよく知ってるのよ。人違いじゃないと思うわ。車だって同じだし……」

　ここで言葉を切ったのは、昼の前に享子が人差し指を当ててきたからだった。

「いい？　お父さんは二時前に会社を出て、二時半に家に着いたの。途中で典子叔母さんを家まで送って行ったわ。それが真実なのよ。美幸は余計なことは考えちゃだめ」

「でも……」

「とにかくその友達にはよく言っときなさい。いいわね？」

　そう言って享子は自分の部屋に入って行った。

　この夜は典子が夕食の支度をしに来てくれた。彼女の夫が仕事の付き合いで遅くなるそうで、彼女も一緒に食卓を囲んだ。

　典子がそばにいると美幸はドキリとすることが多い。何気ないしぐさや声が、母の妙子と酷似しているからだった。

「叔母さん」

食事の途中、美幸は典子に話しかけた。

「お母さんが殺された日、買い物に行ってたんでしょう？」

典子は虚を衝《つ》かれたような顔をしたが、陽助の方をちらりと見てから、「ええ、そうよ」と頷いた。

「何を買ったの？　洋服？」

「美幸」

享子が短く言い放った。「やめなさい、あなたには関係ないことでしょ」

「ちょっと訊いてるだけじゃない」

美幸は姉の方を見て唇をとがらせた。

「余計なことよ」

「おい、いったいどうしたっていうんだ」

今まで黙っていた陽助が、見かねたように口を挟んだ。「お母さんがいなくなったんだからな、姉妹仲よくやってもらわなくちゃ困るな」

美幸はフォークとナイフを乱暴に置いて立ち上がった。「美幸っ」と、また享子の声が飛んだ。

「わかってるわよ。あたしだけ、のけ者にしてるんでしょ」

「何を言ってるんだ」

「いいわよ」

美幸は自分の部屋に駆けこんだ。

5

翌日の昼頃、美幸は高校の近くにある喫茶店にいた。ブルーのTシャツを着て、髪はポニーテールにしている。あまり気にいったスタイルではないのだが、目印といえばこの程度しか思いつかなかった。

ミッキー・マウスの腕時計を見ると、一時まであと五分あった。美幸は少し迷ってから、オレンジ・ジュースを追加注文した。緊張しているせいか、やたら喉《のど》が渇くのだ。

一時ちょうどに、その男女は現われた。美幸はひと目見ただけで、その二人が約束の相手だとわかった。この暑い時期に黒いスーツを着ている男と、やはり黒のワンピースを着た大柄の女。電話で聞いたとおりだ。

男の方はサングラスをかけていたが、美幸を見つけると、ちょっとそれを人差し指で押し上げた。

「的場美幸さん……ですね？」

男が訊いてきた。太いがよく通る声だった。美幸が頷くと、二人は黙って前の席に腰を下ろした。

「あの……探偵の方ですね？」

美幸が訊いたが二人はそれには答えず、近づいて来ていたウエイトレスにコーヒーを注文した。女の方はアナウンサーのように奇麗な声をしていた。

「ご用件は？」

男が尋ねてきた。それが先程の返答でもあるようだった。

美幸が「探偵倶楽部《くらぶ》」の存在を知ったのは、ちょっとした偶然からだった。ゴルフに行った陽助にどうしても連絡を取らなければならなくなり、ゴルフ場の電話番号を調べようと彼のアドレス・ノートを開いた時、『探偵』と書かれた欄を見つけたのだ。そのことを覚えていて、今朝またノートを調べて電話したのだった。

「あの……あたしは的場陽助の娘なんですけど……」

美幸はまず自己紹介しようとしたが、男の探偵が右手を出してそれを制した。

「あなたのことは、ある程度わかっています。ですから用件を言ってください。おそらくお母さんが亡くなられた事件に関係しているのだと思いますが」

美幸はびっくりして大きく目を開いた。

「やっぱり知ってたんですね。新聞にも出たから」

「出なくても知っています。それよりも、用件は？」

ウエイトレスがコーヒーを運んで来た。彼女が去るのを見届けてから、美幸は切り出すことにした。

「え……と、じつはあの事件以来、皆のようすが変なんです」

「皆、というと？」

「お父さんや姉さん、それから叔母《おば》さんの三人です。何か隠し事をしているみたいなんです。あたしがいないところで、三人でこそこそしゃべってるみたいだし、あたしが事件のことで何か言おうとすると、邪魔したりするんです」

「ほう」

探偵は隣りの女の方を見て、それからまた美幸に視線を戻してきた。「でもそれは単に大人の話だからという理由だけからかもしれませんよ。あなたに話す必要がないだけでしょう」

「そんなはずないんです」

美幸は少し大きな声を出した。子ども扱いされるのは大嫌いなのだ。「それだけじゃなくて、お父さんが警察に話したことでおかしいこともいっぱいあるんです」

陽助の証言とは合わない時刻に、彼の姿を見たという友人がいること。その時には叔母の典子と一緒ではなかったらしいこと。そしてついでに、妙子が殺された日に、陽助の靴がきちんと揃えてあったことまで美幸は探偵にしゃべった。

「その話が本当なら、たしかに少しおかしいですね」

探偵は、興味があるのかないのか判断できないような調子で言った。

「でしょ？　だから調べてほしいんです。お父さんたちが何を隠しているのかを」

「しかしそういう疑問があるなら、警察に言ったほうがいいんじゃないですか？」

「だめよォ」

今度はかなり声が周りに響いた。他人の視線が集まって、美幸は首をすくめた。「だって、そんなことをしたらお父さんたちが疑われるかもしれないでしょ。だから探偵さんにお願いしているのよ」

探偵は腕組みをして、しばらく天井を見上げていたが、やがて決心したように頷きながら美幸に言った。

「ではこうしましょう。とにかくその三人の方の行動を調査しましょう。それでなおかつ不審な点があれば、それを追及するということでどうですか？」

「はい、いいと思います」

「ところで調査費のほうはどうしますか？　お父さんに支払ってもらうおつもりですか？」

「調査費ってお金のことね……いくらぐらいなんですか」

すると探偵は、とりあえず、と断わってからだいたいの額を言った。

美幸は頬杖《ほおづえ》をついて少し考えたあと、ポンと手を叩《たた》いて言った。「まだお正月のお年玉がそっくり残っているわ。それでなんとかなると思います」

「お年玉ね……」

「がんばってくださいね」

美幸は右手を差し出した。「これはどうも」と言いながら、探偵は握手に応《こた》えた。

6

的場享子が捜査一課の真田刑事を訪ねて来たのは、事件から一週間が過ぎた頃だった。連日の捜査にもかかわらず、手掛かりらしきものは何ひとつ得られず、捜査本部にも焦りの色が滲《にじ》み始めていた。

部屋の片隅に設けられた来客室で、真田は的場享子の応対をした。享子は前に会った時と比べると、かなり顔色が良さそうだった。

「母が毎月一度、近くのカルチャー・センターに籐《とう》工芸を習いに行っていたことはご存じですか?」

彼女は遠慮がちに切り出した。

「ええ、知っていますよ。半年ほど前から通われていたんでしたね」

真田はそのカルチャー・センターにも聞き込みに行ったのだった。もっとも収穫は何もなかったのだが。

「そのカルチャー・センターに行く時に、母がいつも持って行く鞄《かばん》があるんですけど、昨日、その中を整理していたら、こんなものが出て来たんです」

こう言って享子が差し出したものは一枚の名刺だった。真田はそれを受け取った。

『新幸《しんこう》文化センター　油絵講師　中野修《なかのおさむ》』

――そこにはこう印刷してあった。新幸文化センターというのは、妙子が通っていたカルチャー・センターの名前だ。

「この中野という人を知っていますか？」

真田は享子に訊《き》いてみたが、彼女はすぐに首を振った。

「聞いたこともありません」

「お母さんは籐工芸のほかに油絵を習われていたのですか？」

「いいえ油絵のことなんか、口にしたこともありません。それで、どうしてこんな名刺を持っているんだろうと気になって……」

「なるほど。これ、お預かりしてよろしいですか？」

真田は名刺をつまみ上げた。「どうぞ」と享子は頷《うなず》いた。

田宮と真田の両刑事は、この日のうちに中野修を訪ねた。ちょうど油絵の講習のある日だったので、センターの応接室で二人は中野と会った。中野は髪が長く、細い顔をした男だった。いかにも繊細な筆さばきを見せそうだと田宮は思った。

「的場さん……ですか」

田宮が出した妙子の写真を見て、中野は首を捻《ひね》った。「ちょっと思い出せないですね。仕事柄いろいろな人と会いますから。もしかしたらどこかで名刺を渡したのかもしれませんが……その人が何かしたのですか？」

「いや、何かしたというか……ご存じないですか？　一週間ほど前に殺されたんですよ」

田宮の説明に、中野は露骨に顔をしかめて見せた。

「そうですか。ひどい世の中ですね。それで犯人は？」

「今、捜査中です。――ところで、油絵の受講者の名簿をお貸しいただけますか？」

「名簿を？　何に使うんです？」

中野の顔に一瞬翳《かげ》りが走るのを田宮は見た。だがそれには気づかないふりをして、

「一応、的場さんを知ってる人がいないかどうか、確かめようと思うんですよ」

と答えた。「なるほど」と中野は言った。

「そりゃあ、事務の方に行けば貸してくれると思いますがね、受講者には迷惑がかからないように頼みますよ」

「その点は充分気をつけますよ」

そう言って田宮は腰を上げた。

田宮と真田は署に戻ると、手分けして早速油絵の受講者に電話をかけた。もし妙子の知

り合いが油絵の受講者の中にいるのだとしたら、彼女の新たな交際範囲が出てくることになる。

そして間もなく、的場妙子を知っているという女性に当たることができた。真田が電話をかけた相手で、古川昌子《ふるかわまさこ》という名前だった。家が署からすぐ近くだったので、二人の刑事はすぐに会いに行った。

「ええ、的場さんならよく知っています。あの方、亡くなったそうですねえ」

古川昌子は小柄で人の良さそうな女性だったが、幾分緊張しているように見えた。田宮はそれを、刑事を前にした時の一般的な反応だろうと解釈した。

「どういうお知り合いだったのですか？」

田宮は穏やかな口調を心がけて訊いた。

「ええそれが、一昨年《おととし》通っていた自動車学校で一緒だったんです」

と古川昌子は答えた。「それからしばらく会わなかったんですけど、偶然カルチャー・センターで会ってから親しくしていました。あの方は籐工芸で、あたしのほうが油絵でしたけど……」

彼女の声はしだいに小さくなり、それに合わせて態度が少しよそよそしくなったように田宮には見えた。

「油絵の講師は中野修さんでしたね？」

相手の反応に注意しながら田宮は訊いた。古川昌子はわずかに身体を震わせてから、

「はい……」と小声で答えた。

「中野さんを的場さんに紹介したことはありませんか？」

「え？　あの……」

「紹介したんですね？」

彼女はかすかに頷いた。そして途切れがちの声で話した。

「あの……的場さんが、籐工芸のほうが終わったら、今度は何を習おうかっておっしゃってたものですから、油絵を勧めてみたんです。それで一度見学をという時に、中野先生をご紹介しました。講座のある日に、中野先生の部屋に的場さんをお連れしたんです」

「それはいつ頃のことですか？」

「半年ぐらい前だったと思います」

古川昌子はハンカチを取り出して、額に滲《にじ》み出た汗を拭《ふ》いた。

「その後、三人でお会いになったことは？　三人というのは古川さんと的場さんと中野さんのことですが」

彼女は首を振った。

「それ以後、三人で会ったことはありません。ただ……」

「ただ？」

口ごもった彼女の顔を田宮は見下ろした。それで彼女も決心したように口を開いた。

「あの、これはもっと早く申し上げなきゃいけなかったんですけど、ゴタゴタに巻き込まれるのが嫌で、つい黙ってたんです」

「どうしたんですか？」

「ええ、あの……例の事件があった日に、あたし、的場さんから妙な電話をいただいたんです」

「妙な電話？　なんですか？」

「ええ、それが、自分はもうカルチャー・センターには行かないから、中野先生にもそのように伝えてくれ、という内容だったんです」

「カルチャー・センターに行かない？」

田宮は反復したあと、真田と顔を見合わせた。彼も不思議そうに首を捻《ひね》っている。

「どういうことなんですか？」と田宮は古川昌子に訊いた。

「わかりません。それであたしも、どういうことなのって訊いてみたんです。そうしたら、とにかくもう中野先生とは会わないからって……一方的にしゃべって切っちゃったんです」

「なるほど」

田宮は不精髭《ぶしょうひげ》の残る顎《あご》を左手でこすった。事件の輪郭が、おぼろげながら見えてきたような気がした。

古川昌子の家を出た田宮たちは、その足で新幸文化センターの事務所に行くと、中野の写真を借りて、すぐに的場家に向かった。いや正しくは、的場家の隣家だ。そこの主婦は、事件のあった日に的場家の前に怪しい男がいたのを目撃している。

「似ています」

刑事から差し出された写真を見て、彼女はやや興奮気味に言った。「間違いないと思います。すごく似ています。誰なんですか、この人？」

だが刑事たちは彼女の問いには答えず、満足してその家を出た。


「アリバイ……ですか？」

喫茶店のコーヒーを不味《まず》そうに飲んだあとで中野は言った。

「そうです。あの日の二時前後、どちらにおられましたか？」

田宮が訊いた。

「冗談じゃない。どうして僕が的場さん……でしたっけ、その人を殺さなければならないんですか？」

「中野さん」

と田宮は低く呼びかけた。「あなたと的場妙子さんは特別な関係にあったんじゃないですか？」

中野は頬を歪《ゆが》めた。本人は笑い顔を作ったつもりらしい。

「な、何を根拠にそんな馬鹿なことを言い出すんです」

「古川さんという女性をご存じですね？」

真田が横から言った。中野は不意を衝《つ》かれたように口を閉ざした。
「的場さんは、殺される直前に古川さんに電話しているんですよ。その時、こう言ってお
られたそうです。中野さんとはもう会わない、とね」
中野の顔から血の気が引いていくのが、傍目《はため》にも明らかだった。田宮はわざとゆっくり
水を飲み、その反応を観察してから、
「中野さん、じつはあの日、的場さんの隣りに住んでいる人が、あなたらしき姿を見てい
るんですよ」
と言った。中野は目を剝《む》いた。そしてその薄い胸が、上下に大きく波打った。
「どういうことなんでしょうね、これは？」
「………」
「こういうことになると、われわれとしてはあなたのアリバイを調べざるを得ないのです
よ。わかっていただけますな？　さあ教えてください、あの日あなたはどこにいたのです
か？」
中野は両手で顔を覆い、低い唸《うな》り声を上げた。終わったな、と田宮は思った。手こずる
かなとも思ったが、予想外に簡単に解決した――。
「どうやら後は署で聞いたほうがよさそうですな」
田宮は立ち上がり中野の肩に手を置いた。

だが田宮が思ったほど簡単ではなかった。中野は頑強に犯行を否定したのだ。

「たしかに僕と奥さんは、深い仲になっていました」

彼は両手で頭を掻《か》きむしりながら告白した。

「遊びじゃありません。お互いに真剣だったんです。旦那《だんな》さんと別れて、僕と結婚してほしい――僕はそう頼みました」

「ところが彼女は承諾しなかった。それで殺したというわけか？」

「違います。彼女も承知してくれたんです。ただ、すべてを打ち明ける勇気はないと言いました。だから黙って家を出ることにしたんです。それがあの事件のあった日でした」

「彼女が家を出る計画を立てていたと言うのか？」

「そうです。駅前の『ルネ』という喫茶店で待ち合わせました。そこで落ち合って、彼女を僕が最近借りたアパートに案内する予定だったのです」

「だが彼女は来なかったんだな？」

田宮の言葉に中野は項垂《うなだ》れた。「来ませんでした」

「それで家まで押しかけたわけか」

「違います。僕が彼女の家に行ったのは、彼女に呼ばれたからです」

「呼ばれた？」

「そうです。喫茶店に電話がかかってきて、すぐに来てくれと言われたんです。家には自分しかいないから、勝手に入って来ていいとね。それですぐに行ってみたら、彼女はすでに二階の寝室で死んでいたんです」

「いい加減なことを言うなよ」

田宮は長い腕を伸ばし、中野の上着の襟を摑《つか》んだ。「いいかい、的場妙子は殺される前に古川という女性に電話しているんだ。もう中野先生とは会わない、という内容だったそうだ。あんたともう会わないと言った被害者が、どうしてあんたを家に呼ぶはずがあるんだ?」

中野は激しくかぶりを振った。「そんなことは知らない。とにかく僕が行った時には、あの人はもう殺されていたんだ」

「嘘をつけっ」と田宮は怒鳴った。「彼女から喫茶店にかかってきた電話というのは、彼女が心変わりしたということを伝える電話だったんだろう。それでカッとなったあんたは家に押しかけた。ところが彼女の決心は硬く、逆上したあんたは、そばにあったナイフで刺し殺したんだ」

「違う、信じてくれ、そうじゃないんだ……」

中野はかすれた声で、呻《うめ》くように叫んだ——。

7

前と同じ喫茶店で美幸は探偵たちと会った。男の探偵は相変わらず黒のスーツ姿で、助手らしい女は黒を基調にしたサマー・セーターを着ていた。

「事件は一応片付いたらしいですね」

探偵は言った。

「はい。でも犯人はまだ完全には白状していないんですって」

刑事から聞いたとおりに美幸は言った。まだ完全には白状していないんですよ——。

「だけどあの男が犯人に間違いないって、刑事さんは言ってました」

母が浮気していて、その男と逃げようとしていたという話を聞かされた時は、正直いってショックだった。しかもその相手の男に殺されたというのだ。だが美幸にとって救いだったことは、最終的には母は思い留《とど》まってくれたらしいということだった。人間誰しもあやまちを犯すこともある。だけど、それを改める気持ちがあるかどうかが肝心なのだと美幸は思っているのだ。

それだけに母の変心を怒って、彼女の命を奪ったあの中野という男を、美幸は心の底から憎んでいた。

「そうすると、今回の調査についてはどうしますか？」

探偵は極めて事務的な口調で言った。「犯人が捕まったとなると、あなたにとっての事件は解決したわけですから、私たちに依頼したことは意味を持たなくなりますね」

「いえ、でも調査結果は聞かせてください」

美幸は探偵に言った。「事件が解決したにしても、あの時のお父さんや姉さんたちは、やっぱりようすがおかしかったと思うんです」

　すると探偵は一瞬だけ目を伏せ、すぐに首を縦に動かした。

「いいでしょう。ではご報告しましょう」

　探偵は鞄《かばん》からレポート用紙の束を取り出してきた。「結論から言うと、的場陽助氏、享子さん、大塚典子さん、この三人の最近の行動に不審な点はありません。皆それぞれいつものように、会社なり大学なり買い物なりに行って、平凡な一日を過ごしたのち帰宅されています」

　探偵が差し出したレポートには、その三人が会社や大学や買い物に行っているところの写真が貼りつけてあった。とくに何も問題はないようだ。

「でもあの三人が何か隠し事をしているのは事実なのよ。探偵さん、何とかそれを調べだせないかしら？」

「いや、じつはその点なんですがね」

　探偵は椅子にすわり直し、咳《せき》ばらいをひとつした。そしてコーヒーをブラックで飲む。

「あの日の陽助氏の行動がだいたい摑めたのですよ。どうやらあの日、陽助氏は、一時過ぎには会社を出ていたようですね」

　やっぱり、と美幸は言った。それならば一時三十分頃陽助の姿を見たという友達の言葉とも一致する。

「しかし陽助氏は、そのまま真っすぐ家には帰らなかったようですね」

「どこかに寄っていたのですか？」

「ええ……じつはあなたのお父さんは、あの日、新幸文化センターに行ったらしいのですよ」

えっ、と美幸は思わず声を漏らした。

探偵は続けた。

「ええ、どうやら陽助氏は、妙子さんと中野氏とのことをご存じだったようですね。それであの日は、話をつけにセンターに出向かれたらしいのです」

「お父さんが……お母さんの浮気のことを知ってた……」

「まさか、その日に家出する計画を立てていたことまでは、ご存じなかったでしょうがね」

「でもその……中野、という人とは会えなかったんでしょう？」

「ええ。それで諦《あきら》めて帰ったところ、妙子さんの死体を発見したということらしいですね。しかし陽助さんは、奥さんの浮気のことを世間に公表したくなかったんですよ。もちろん世間体のこともありますが、このことで娘さん――あなたです――が傷つくのを恐れられたんでしょう。そこで自分のアリバイについては、奥さんの妹さんに偽証を頼んだというわけです。新幸文化センターに行っていたと言えば、当然その理由もしゃべらなくてはなりませんからね」

「……そうだったの」

美幸は溜息《ためいき》をついた。たしかに父の陽助にはそういうところがある。

「お姉さんや叔母《おば》さんは事情を知っておられたのでしょう。でもあなたにだけは秘密にするという取り決めができていたんじゃないですか」

「そんなに気を遣わなくてもいいのに」

「愛情ですよ」

探偵はレポート用紙を閉じた。「さて、報告は以上です。何かご質問は？」

「あっ、ええと、費用のほうは？」

美幸は両手を腕のところで組み、上目遣いに探偵を見た。探偵はレポート用紙を鞄に入れ、「費用のほうは結構です」と言った。

「大した調査をしたわけではないし、何もなかったという結果ですからね。あなたのお父さんからは毎月定期的に会費をいただいてますから、それで賄《まかな》えるでしょう」

「本当ですか？　ああよかった」

美幸は胸をなで下ろした。だが探偵たちが立ち去ろうとするのを見て、「あっ、もう一つだけ」と声をかけた。

「お父さんのあの日の行動だとか、いったいどうやって調べたんですか？　すごく詳しく調べたみたいだけど」

するとと探偵は人差し指を出し、それをゆっくりと左右に振った。

「それは営業上の秘密ですよ」

そして彼らは店を出て行った。

8

土曜日の昼間、陽助が家にいると、事件を担当している刑事が訪ねて来た。田宮という刑事と、真田という刑事の二人だ。事件以後、何度か顔を合わせている。

「散らかっておりますが」

そう断わりながら、陽助は二人を応接間に案内した。

「事件のほうはどうですか?」

彼は刑事の顔を交互に見て訊《き》いた。「あの男……中野は白状しましたか?」

「いや、それがなかなか手こずってましてねえ」

田宮は苦笑を浮かべ、真田の方を見た。この若い刑事も頬を不自然に歪《ゆが》めている。

「じつは今日はちょっとした確認に伺ったんですよ」

と田宮は言った。

「確認?」

「ええ」

そして田宮はやけにもったいぶったような動作で、手帳を出してきた。「奥さん——妙子さんは、たしか強度の近視でしたね? それで普段は眼鏡がないと生活できない」

「そうです」

「家では必ず眼鏡をかけておられるわけですね」

「ええ……かけています」

刑事はここでひと呼吸置き、手帳に目を落としてから、また陽助を見た。

「コンタクト・レンズを入れるのは外出される時だけだそうですね、美幸さんから聞きましたよ」

「コンタクト……？」

陽助は自分の耳の後ろが、急激に熱くなるのを感じた。コンタクト……。

「殺された時、奥さんはコンタクト・レンズを入れておられました。ということは、どこかへ外出するおつもりだったんでしょうね」

「…………」

「どこへ行こうとされてたんでしょうね？」

刑事が陽助の顔を覗《のぞ》きこんできた。陽助は目をそらし、両足の膝《ひざ》を両手でしっかりと握った。掌《てのひら》にじわりと汗が滲《にじ》む。

「もしかしたら、奥さんは心変わりなんかしなくて、中野のところへ行くおつもりだったたんじゃないですかね？」

「いや、そんなはずはない。あいつは土壇場になって目が覚めたんです。それで断わりの電話を男に入れたんです」

「その電話なんですがね」

田宮は粘っこい口調で言いながら、顎《あご》の下を掻《か》いた。「奥さんが電話を入れた、『ルネ』という喫茶店に当たってみたんですよ。そうしたらそこの店員が、中野のことも、中野に電話がかかってきたことも覚えていたんですよ。もちろん内容はわかりません。ただね、中野が受け答えしていた時のことは覚えているんです。その店員の話によるとね、奴に取り乱したようすはなかったようですよ。おまけに電話を切る時、『じゃ、すぐ行くから』と言ったんだそうです。すぐ行くから……とね。おかしいと思いませんか？　奥さんから別れ話を持ち出されたなら、そういう反応は示さないんじゃないですかね」

「しかし……妻は知り合いの奥さんにも電話しているんでしょう？　中野とは会わない……と」

「だから余計おかしいんですよ。このあたりの矛盾を考えると頭が混乱してくる。しかしね、一つだけ納得できる説明があるんですよ。それはね、電話をしたのは奥さんではなかったんじゃないかということなんです」

「まさか……。電話を受けた人間は妻の声だと言っているんでしょう？」

「それはね。しかし電話を通すと声というのは変わりますからね。私なんかも、昔よく兄貴と間違われました。肉親、とくに兄弟の声は似ますからね。兄弟といえば、妙子さんには大塚典子さんという妹さんがおられますね」

「………」

「もしかしたら、妹さんが電話をかけたんじゃないかとわれわれは想像しているんですよ」

「馬鹿な、どうして彼女がそんなことをする必要があるんですか？」

「それはこれから調べますよ。ただね、今回の事件はもう一度徹底的に洗い直さなきゃならないとは思っているんですよ」

刑事は立ち上がった。「また来ますよ。おそらく何度もお邪魔することになるかもしれませんが」


刑事たちが去ったあとも、陽助はぼんやりとソファにすわったままだった。血にまみれた妙子の姿が、脳裏に蘇《よみがえ》った。

「やはり……だめか」

昨日から抱き続けていた懸念を彼は口にした。昨日、あの探偵が来た時から、なんとなくこうなることを予想していたのだった。

探偵は会社に現われた。黒ずくめの服を着た、大柄な男と女だった。陽助はつい最近彼らに仕事を頼んだ覚えはあるが、それについては終わっているはずだった。それで彼が尋ねてみると、娘の美幸が彼らに仕事を依頼して、そのことで相談したいということだった。年頃の娘というのは無茶なことをするものだと思う。

それにしても、やはり美幸が自分たちの態度に不審感を抱いていたと知って、陽助は心が重くなった。あの子にだけは妙な気遣いをさせまいとして計画したことだったのだが。

「われわれはあなた方の行動について、かなりのところまで把握しています」

探偵は言った。感情のこもらない、淡泊な口調だった。「まずわれわれには大きな疑問がありました。それは、事件が起こった後、なぜあなたが中野修のことを警察にしゃべらないのかということでした。あなたは彼と奥さんとのことを知っていたわけですからね。なぜなら、奥さんの浮気をわれわれが調査して、それをあなたに報告したのですから」

陽助が黙っていると、探偵は続けた。

「あなたが知っていることは、それだけではないですね。あの日、奥さんが家を出る計画を立てていたこともご存じだった。それもわれわれが報告したことです。彼らが何時にどの喫茶店で落ち合うかまで、あなたは知っていた。しかしそれを警察には言わなかった。いったいなぜですか？」

「事情があるんだよ」

と陽助は答えた。自分でも陰気だと思うような声だった。「人には言えない事情がね」

「もし話していただけないのでしたら」

探偵はそこで言葉を切り、観察するような目を陽助に向けてきた。「われわれが知っている限りのことを、お嬢さんにご報告するしかありませんね」

「それは困る」

「こちらも困るのです。理由もなく嘘をつくわけにはいきませんから」

陽助は大きく吐息をつき、相手の顔を見た。探偵も助手の女も、無表情のままだった。

「君たちには、だいたいの見当はついているんじゃないかい？」

陽助は言ってみた。「あの日、何があったかについて」

「想像はついています」

探偵は言った。「当たっているかどうかは不明ですが」

陽助は思わず唸《うな》り声を漏らした。探偵倶楽部の実力については、充分知っていた。

「いいだろう。ではまずそれを聞かせてくれ。それを聞いてからこちらの態度を決めるとしよう」

探偵は肩をすくめ、「あまり公平な取引とは思えませんが、まあいいでしょう」と頷《うなず》いた。そして茶を一口飲んだ。

「あの日、奥さんが家を出ようとしていたことは、あなたのほかに享子さんと典子さんも知っていた。あなたが話したからです。あなた方三人は、なんとか奥さんの家出を阻止しようとした。とりあえず阻止して、奥さんの頭が冷えるのを待ってから、ゆっくりと話し合うなりしようと考えたんでしょうね。阻止の方法は簡単です。必ず誰かが奥さんのそばにいるようにすればいいわけです。おそらく朝からはずっと享子さんが一緒だったのでしょう。そして、昼過ぎからは典子さんがやって来て、やがてあなたも早退して帰って来るという手筈《てはず》だったのでしょうね」

陽助は黙っていた。探偵の推理に間違いはなかった。

「奥さんとしては苛立《いらだ》ったでしょうねえ。次々に邪魔者が現われるわけですから。そのうちに奥さんは、これが偶然なのではなく、皆が寄ってたかって自分の邪魔をしているのだと気づいたのです。このままでは愛する男と一緒にはなれない——絶望した彼女は衝動的に自分の部屋で自殺をはかりました。もちろんナイフで胸を刺して、です」

ここで反応を見るように探偵は口を閉じた。続けてくれ、と陽助は言った。探偵は頷いて、また茶を一口啜《すす》った。

「あなた方が行った時、彼女はすでに死んでいたのでしょうね。その時の悲しみはお察しします。自分たちが追いつめたわけですからね。しかし、あなた方にとって憎いのは、その元凶となった中野修です。そこでナイフをゴミ箱に捨てて状況を他殺に見せかけ、その犯人としての疑いが中野にかかるように仕組んだのです。その第一弾が典子さんの電話でした。妙子さんと中野が特別な関係にあったことを知らせるために古川昌子さんに電話をし、さらに待ち合わせの喫茶店に電話して中野を呼び出したのです。そして第二弾はあなたの電話です。中野が現われたところを見はからって、隣家に電話をしたんでしょう。家のようすを見てくれと言って、中野の姿を見せておくのが目的でした。最後の仕上げは享子さんです。中野の名刺を警察に持っていかれましたね」

違いますか、と言って探偵は締めくくった。相変わらず無感情な声だったが、自信は感じさせた。

陽助は溜息《ためいき》を一つつき、「ほとんど正しい」と言った。

「しかし、一つだけ違う点がある」

「それは？」

「われわれは、単に中野に対する憎しみだけで他殺に見せかけたのではない。あのまま妙子が自殺したということになれば、美幸が傷つくことになると考えたのだ」

「お嬢さんが？」

「そうだ。あの子はとくに母親を慕っていた。その母親が自分たちを捨てようとして、その思いを遂げられずに自殺したと知れば、相当なショックを受けるだろう。そこでわれわれは、母親が改心しようとしたという状況を作ろうとしたんだ。それならば、心の傷も少しはましになるのではないかと考えてな」

そして陽助は探偵に頭を下げた。「頼む、美幸には言わないでくれ。あの子の将来にかかわる問題なんだ」

頭を下げていたので、探偵たちがどんな顔をしていたのかは陽助にはわからなかった。だがしばらくして、「わかりました」と言う声がした。

「今まで、依頼主に嘘を報告したことは一度もないのですがね。やむを得ないでしょう。ただ、こうなるとお嬢さんから調査費をいただくわけにはいきませんね」

「もちろん私が払わせてもらうとも」

「それから、これから靴を揃える習慣をつけたほうがいいでしょうね。おそらくあの時は典子さんあたりが気を利かせたのでしょうが、そのことでお嬢さんに疑惑を持たれることになったのですからね」

陽助はもう一度深く頭を下げた。


――あの探偵たちは、うまく美幸をごまかしてくれただろうか？

テラスに出て、空を見上げながら陽助は思った。

あるいは話さねばならない時期がくるかもしれないと、陽助は覚悟していた。それが明日になるか、十年後になるかは見当もつかなかったが。

だが先刻の刑事の口ぶりから考えると、その時期は遠くないようだった。話す時は自分が話そうと決めている。その時のことを思って、陽助は身体を硬くした。

その時、門を開く音がした。廊下を歩く音が聞こえる。数秒後、美幸が姿を見せた。右手にテニス・ラケットを持って、頰を紅潮させていた。

「ただいま」

と彼女は言った。

陽助は自分の娘を見つめ、しばらくしてから、

「ああ、おかえり」

と答えた。

八月の、ある晴れた日のことだった。

探偵の使い方

1

その二人がやって来たのは、芙美子《ふみこ》がテニス・スクールから帰った直後だった。彼女はインターホンで二人の身分を確認したのち、玄関に出て行った。

二人というのは、黒い服を着た男女だった。どちらも背が高い。男の方は彫刻のように彫りの深い顔をしていて、少し不気味な印象を受ける。女の方も、切れ長の目をしていて美人なのだが、なんとなく暗い感じがする。肩まで届いている髪が黒過ぎるせいかもしれないと芙美子は思った。

「探偵倶楽部《くらぶ》の者です。遅くなって申し訳ありません」

男の方が感情を含まない声で言った。隣りの女も頭を下げる。

「いいんですのよ、私もたった今帰ったところですから。じゃあ奥で詳しいお話を」

芙美子が奥の部屋を差して言った。

「失礼いたします」

探偵の二人は素早い動作で上がりこんだ。

「あなた方の評判は伺っています」

芙美子は二人を均等に見ながら言った。「正確で迅速、無駄がなくて秘密を厳守してくれるという話ですね。会員制だけにとてもきっちりしていると、紹介してくれた友達が言っておりました」

「恐縮です」

男の方の探偵が頭を下げ、女もそれに倣《なら》った。探偵たちの自己紹介によると、女の方は助手的役目を果たしているらしい。

「その評判を聞いて私も利用させてもらうことにしたんだけど……本当に秘密は守っていただけるわね？」

「もちろんです」

男がとくに力むことなく言った。「今までにそういうトラブルは一度も起こしておりません」

「そう……ごめんなさい。充分にわかってはいるんだけれど、一言確かめさせてもらいましたの」

そう言うと、芙美子は軽く咳《せき》ばらいをひとつした。

「ご依頼の内容は？」

男は相変わらず感情のない声で訊《き》いてくる。それで芙美子は少し背筋を伸ばし、探偵たちの方を見据えて言った。

「じつは、うちの主人の素行調査をしていただきたいんです」

「なるほど」

探偵たちの表情には、まったく変化はなかった。

「ご主人というと阿部佐智男《あべさちお》さんですね。アカネ工業にお勤めになっている」

助手の女が即座に言った。もともと探偵倶楽部の方には佐智男の名前で登録してある。彼らが佐智男のことをよく知っていても不思議ではなかった。

今探偵が言ったように、佐智男はアカネ工業という産業機器メーカーとしては中堅クラスの会社に勤めている。芙美子はそこの系列会社に勤めていたことがあって、十二年前に見合い結婚した。芙美子は今年三十八、佐智男は四十五になるが、二人の間に子どもはいなかった。

「ええ、そうです。阿部佐智男の素行調査をお願いしたいんです。やっていただけるかしら？」

彼女の問いに、「もちろんお引き受けいたします」と探偵の男は言った。

「ただ、もう少し詳しいお話をしていただけるとありがたいのですが。単に行動を記録するだけでなく、奥様の目的を存じておいたほうが、ご期待に添えると思いますので」

「それはそうね」

芙美子はまた咳ばらいをした。「単刀直入に言いますと、主人の女性関係を調べていただきたいの。もっとはっきり言うと、浮気をしていないかどうかを確かめてほしいんです」

「何か根拠がおありなのですか？」

探偵の顔色は変わらない。最初から浮気の調査だとわかっていたのだろう。

「ええ、あります。最近になって休みの日に一人で出かけることが多くなったし、着るもののセンスなんかが微妙に変わってきているんです。今まではそんなこと、全然なかったのに」

「女性のカンというわけですね」

「それだけじゃないんです」

芙美子は少し強い口調で言った。この時、ほんのわずかだけ探偵の眉《まゆ》が上がった。

「このところ水曜日になると帰りが遅くなるんです。主人の今のポストだと残業なんかはないはずなんですけど……これも今まではなかったことです。それから一度だけ、遅く帰った日に石鹼《せっけん》の匂いをさせていたことがありました。たしかそれも水曜日だったと思います」

「ほう、水曜日ですか」

探偵は頷《うなず》いてメモをとった。「で、奥様のご希望としてはどの程度までの調査が必要なわけですか？」

「そうねえ……」

芙美子は少し考えてから、「とりあえず今週一週間、主人の行動を見張っていただこうかしら。それで、もし途中で何かわかりましたら連絡していただくということで」

「結構です」

「ああ、それから」彼女はふいに何かを思い出したように声を上げた。「もし女と密会するようでしたら、必ず写真を撮っておいてくださいね」

「ええ、それは当然です」

探偵は大きく頷いた。

その他細かい打ち合わせを終えてから、芙美子は探偵たちを玄関まで見送った。

「最後にひとつだけお願いしたいんですが、主人や女をあまり深追いしないように気をつけてください。もしあなた方を雇ったことが知れたら、とても困るんです。気づかれなければ、いつでもチャンスはあるはずですから」

「大丈夫です。そのへんは心得ております」

「じゃあお願いします。いい結果をお待ちしていますわ。何がいい結果なのかはわからないけれど」

「では一週間後に」

そう言って探偵たちは、阿部家を出て行った。

これが月曜日のことである。

2

同じ週の木曜日の朝、芙美子が一人でいるところへ探偵から電話がかかってきた。彼女が受話器を取ると、例の探偵の感情のない声が聞こえてきた。

「昨日、ご主人がお帰りになったのは何時頃でしたか？」

探偵が訊いてきた。芙美子は少し考えてから、

「昨夜はたしか九時ぐらいでしたわ」

と答えた。探偵はちょっとの間、沈黙した。

「あの何か？」と彼女は訊いた。

「ええ。じつは昨夜、ご主人は会社を出られた後で、どこかの女性と会っておられたのです」

「…………」

「もしもし」

「あっ、はい、聞いていますわ。やっぱりそうだったのかと思って……それで？」

「残念ながら女性の身元を確認するところまではいっておりませんが、一応ご報告しておこうと思いまして」

「そう……写真はあります？」

「じゃあ、それを持って来ていただけるかしら。早いほうがいいわね。今日の午後はどうかしら？」

「かしこまりました」

時刻を詳細に打ち合わせたあと、芙美子は受話器を置き、深々と溜息《ためいき》をついた。


約束の時刻きっかりに探偵は現われた。今回は助手の女はいない。そのことを芙美子が訊くと、「他の件で出かけているものですから」と探偵は答えた。

「それもやっぱり浮気の調査？」

この質問に対しては、探偵は少し頰を歪《ゆが》めてみせただけだった。

応接間で向かい合ってから、探偵は鞄《かばん》から書類を取り出した。写真を貼ってあるのが見える。

「六時半に退社されたあと、ご主人はタクシーに乗って吉祥寺《きちじょうじ》に行かれました。駅の近くにある本屋で週刊誌を立ち読みしておられましたが、やがて一人の女性が近づいて来ました。二人はほんの少し言葉を交わしたのち、連れ立ってラブホテルに向かいました」

ホテルと聞いた時、芙美子は唾《つば》を飲みこんだ。「それで？」

「八時半になって、二人は出て来ました。ご主人は駅に行って、そのまま帰宅されたようです。問題は女性の方ですが、駅前でタクシーをひろって新宿に行きました。われわれもあとをつけたのですが、タクシーを降りて地下街に入ったところで見失ってしまいました。どうやら撒《ま》かれたようです」

「気づかれたということ？」

芙美子は眉をひそめた。

「いえ、それはないはずです。われわれは細心の注意をはらっていましたから。おそらくあの女性は、尾行者がいた時のことを考えて、浮気の際にはつねにそういう行動を取るのだと思います。もしかしたら、ご主人以上にこの不倫が発覚するのを恐れているのかもしれません。濃い色のサングラスをかけ、マフラーで口元を覆ったりして、顔がわからないようにもしていました」

「すると……相手も人妻なのかしら？」

「そうかもしれません」

探偵は淡々とした口調で答えた。

「顔がわからないということは、写真を見てもしかたがないかもしれないわね」

そう言って芙美子は、下唇を嚙《か》むしぐさをして見せた。

「相手の女性が誰なのかを判別するのはむずかしいかもしれませんね。しかし、ご主人が浮気をしているという証拠にはなるんじゃないですか？」

「それはそうね……見せていただけるかしら」

「どうぞ」

探偵は写真を貼った書類を芙美子の前に置いた。写真には、ベージュのコートを着た痩《や》せ型の佐智男と、探偵が言ったようにマフラーで口元を隠すようにしている女とが写っている。彼女はそれを手に取ってしばらく眺めた後、「あっ」と声を上げた。

「どうされました？」

と探偵は訊《き》いた。「奥様のご存じの女性ですか？」

すると芙美子はあわてたように首を振って、

「いえ、そういうわけじゃないのよ……」

と言った。そして写真をテーブルの上に戻すと、改まった顔つきで探偵の方に向き直った。「ねえ、ここまでお願いしておいて今さら申し訳ないんですけど、今回の調査はとりあえず打ち切っていただけないかしら？　もちろん、最初に約束した料金は支払いますわ」

探偵はくぼんだ目を、わずかに見開いた。

「つまり、奥様の目的は達せられたということですか？」

「ええ、まあそういうことね」

「そういうことでしたらこちらは結構です」

ビジネスなのですから、と探偵は付け加えた。

「写真とネガは全部こちらにください。それからこれが一番大事なことなんですけど、このことは絶対に秘密にしてくださるわね？」

「もちろんです」

探偵は強く言い切った。

残りの写真とネガの受け渡しについて打ち合わせたあと、芙美子は探偵を玄関のところまで送った。そして玄関のドアの鍵《かぎ》を掛けてから、彼女はまた下唇を強く嚙んだ。

3

翌日の金曜日。

大営《だいえい》通商に勤める真鍋公一《まなべこういち》の電話が鳴った。公一はたまたま机から離れていたので、彼の部下である佐藤《さとう》という若い社員が受話器を取った。

電話の主は女性で、阿部と名乗った。公一のところに女性から電話がかかってくることは珍しいが、水商売の関係でもなさそうだった。

佐藤は送話口を掌《てのひら》でふさいで公一を目で探した。彼はちょうど席に戻って来るところだった。肩幅の広い、がっしりした身体つきで、悠然としたようすで歩くのが彼の特徴である。

「部長、お電話です」

そう言って佐藤は受話器を渡した。真鍋公一は大営通商産業機器部の部長だった。

「やあ、芙美子さんか」

受話器を耳に当てた公一は、椅子にどっかりと腰を下ろしながら明るい声を出した。

「そういえば久しぶりだねえ。ご主人は元気でやってるかい？……えっ？……うん、それはかまわないが」

公一は机の上の予定表と、壁に掛かっている時計を交互に見た。「それじゃ、こうしよう。三時になったら五番の来客室に来てくれないかな。場所は受付の女の子に訊いてくればわかるよ。うん……じゃあ、その時にゆっくり」

そして彼は電話を切った。そのようすを横目で見ながら佐藤は、部長は来客室でデートかな、などと考えていた。

このあと公一の電話は何度か鳴ったが、すべて公一自身が受話器を取っていた。そして二時頃に席を立ったあとは、四時近くになるまで戻って来なかった。

席に戻って来た公一を見て、機嫌が悪いな、と佐藤は直感した。長年彼のそばにいるだけに、そういうことはすぐにわかるのだ。

部長机は、窓を背にして、部下全員を見渡せるように配置されている。公一はその席にすわると、くるりと椅子の向きを変えて、窓の方を向いてしまった。そして足を組み、長い間窓の外の景色を眺めていた。といっても窓の外には高層ビルが並んでいるだけである。

そんな公一のようすを窺《うかが》いながら佐藤は、昼間に電話をかけてきた阿部という女性のことを思い出していた。

4

一週間が経ち、次の土曜日――。

朝七時頃、井野《いの》里子《さとこ》がゴミを捨てに表に出ると、隣りに住む阿部家のクラウンが車庫から出るところだった。運転しているのは主人の阿部佐智男である。そして見送っているのが妻の芙美子だ。車が去ったあと、芙美子は里子が見ていたことに気づき、軽く会釈してきた。

「ご主人、どちらへお出かけ？」

挨拶《あいさつ》代わりに里子は訊いた。

「伊豆《いず》へゴルフなんです。お友達に誘われたとかで、明日の夜に帰って来るそうです」

「そう。じゃあ奥さんはお留守番？」

「ええ。だから、久しぶりに一人で買い物にでも行って来ようかと思っているんです」

「それがいいわよ。男の人にばかりいい思いさせることないわよ」

里子が言うと、芙美子は笑みを浮かべて頭を下げ、自宅の方に戻って行った。その笑みに少し不自然さがあったことに、里子は気づいていた。

伊豆下田《しもだ》のクラウンホテルにて――。

フロント係の笠井隆夫《かさいたかお》は、二一二号室からの電話に出た。この部屋はツインだが、チェック・インしたのはたしか四十過ぎぐらいの男性客一人だったはずだった。

「はい、フロントでございま——」

言い終わらないうちに女の声が飛びこんできた。「大変よ、ちょっと来てちょうだい」

その声の甲高《かんだか》さに笠井は顔をしかめてから、

「どうされたのですか？」

と訊いた。するとまたしても女の声がギンギンと鼓膜に響く。だが今度はそのことよりも、女の言葉に笠井は顔色を変えていた。

「大変なの、ビールを飲んで、それで……それで……うちの主人も阿部さんも倒れてしまったの」


静岡県警の捜査員たちが到着したのは、ホテルからの連絡を受けてから約十五分後だった。捜査員たちはフロント係の笠井と支配人の久保《くぼ》の案内で、事件現場となった二一二号室に駆けこんだ。

死体はふたつだった。床に倒れている男と、ベッドで横になっている男の二人だ。ベッドの男の方は、頭を枕の上に載せ毛布をかぶっていて、おまけに顔が壁を向いているので、ちょっと見たところでは眠っているようだ。床に倒れていた男は、もがき苦しんだらしいようすが残っている。

テーブルの上にはビール瓶が二本と、ガラスのコップが三つ置いてあった。ビール瓶は、一本が空でもう一本は半分ほど残っている。三つのコップは、ひとつがほぼ空で、ひとつには三分の一ぐらい入っていた。そしてもうひとつのコップは倒れていて、中のビールがこぼれていた。

「宿泊カードはありますか？」

頭を五分刈りにした、浅黒い顔の刑事が笠井に尋ねた。笠井と久保は死体を見たくないらしく、廊下に立ったままだった。

「ええ、ここに……」

笠井はポケットから二枚のカードを出して刑事に渡した。

「ふうむ、阿部佐智男……アカネ工業勤務か。東京から来ているようだな。どちらが阿部という人かわかりますか？」

「はい。たしかベッドの方が阿部さんだったと思います。この部屋は阿部さんがお泊まりになっているんです」

「するともう一人の方は？」

「それが、私はお見かけした覚えがないのです。でもどうやら真鍋様のご主人だということで」

「真鍋？　ああ……」

刑事はもう一枚のカードを見て頷《うなず》いた。

ますね」

「真鍋秋子《あきこ》、同泊者は公一か――。ふうん、妻の名前が主になっているのは少し変わって

「はあ……」

と笠井は首を傾げた。「じつはチェック・インされた時は奥様お一人だったんです。ご主人は後からお見えになるのだろうと解釈していたのですが」

「奥さんの話によると、ここに倒れている男性が真鍋公一さんだというのですね」

「そうです」

笠井は首をすくめるようにして頷いた。

「ビールを飲んでいて、突然苦しみだしたということでしたね?」

「はい」

笠井が返事する。支配人の久保は、横で青ざめたままだ。

「このビールは部屋の冷蔵庫に入っていたものですね?」

刑事が久保の顔を見て訊《き》いたので、「そのようです」と久保はやや震え気味の声で答えた。

「補充はいつ行なったのですか?」

「今朝のはずです。あの、担当の者を呼びましょうか?」

「ぜひお願いします」

刑事に言われて、久保は足早にエレベーターに向かった。その後ろ姿を見送ってから刑

事は、再び笠井に視線を戻した。

「その奥さんはどこにおられますか？」

「はい、あの……今は隣りの部屋が空いているものですから、そこで待っていただいてます」

そう言って笠井は隣りの二一三号室を指差した。

刑事は頷くと、そばにいた背が高くて若い男に目配せしてから、その部屋のドアをノックした。弱々しい声が返ってくるのを確認してからドアを開ける。そこにいたのは、三十過ぎぐらいの女だった。セミロングの髪は少し茶色くて、化粧が濃い。やや上がり気味の目は一見気が強そうだが、さすがに動揺したらしく充血していた。

刑事はまず小村《こむら》と名乗り、それから女に、「真鍋秋子さんですね」と言った。女は黙ったままこっくりと頷いた。

秋子が備えつけの椅子にすわっていたので、小村も彼女と向き合うようにして腰を下ろした。若い刑事はその横に立ったままだ。

「今回はご旅行ですか？」

小村は訊いてみた。真鍋秋子は、はい、と小さい声で答えた。

「フロント係から聞いたことですが、あなた方の部屋は隣りの二一二号室ではないらしいですね？」

「はい。私たちの部屋は……たしか三一四号室だったと思います」

「そうらしいですね。気落ちしておられる時に申し訳ないんですが、状況を話していただけますか？」

「はい」と彼女は小声で返事した。

「まず二一二号室の男性ですが、あの方とあなた方ご夫婦と三人でこちらに来られたのですか？」

すると秋子はハンカチを出してきて、目頭のあたりを押さえながら、

「あの、それを説明するには……少し遡《さかのぼ》ってお話ししなければならないんですけど」

と、かすれ気味の声で言った。

「どうぞ遡って話してください」

小村は足を組み、彼女の話をじっくりと聞く態勢を作った。若い刑事は立ったままでメモを取る用意をする。

「あの、じつは今回の旅行は主人の方から言い出したものなんです。たまには伊豆あたりでゆっくりするのもいいだろうって」

「それはいつ頃のことですか？」

「一週間前です。今までそんなことを言ったことがなかったものですから、ちょっとびっくりした覚えがあります」

自分が家族サービスをしたのは何年前になるかなと、小村はふと関係のないことを考えたりした。

「すると旅行の手配なんかは、すべてご主人がおやりになったわけですか？」

「いえ、ここのホテルの予約は私がやりました。ただ、このホテルがいいと言ったのは主人です。ほかには手配というほどのことは何もありません。移動はすべて車でやりますから」

「なぜご主人はこのホテルがいいとおっしゃったのですか？」

　小村の質問に秋子は首を振った。

「詳しくは知りません。前に泊まった時に印象が良かった、というようなことを言ってましたけど」

「なるほど」

　小村は頷き、話の続きを促すように上に向けた掌《てのひら》を小さく出した。

　秋子は薄く瞼《まぶた》を閉じ、気持ちを落ち着けるように深呼吸をひとつした。

「それで今朝、家を出発したわけなんですけれど、こちらへ来る途中の車の中で、今度の旅行は阿部さんのところも一緒だと聞かされたんです」

「阿部さんというと、ベッドで死んでいる男性ですね。阿部さんのところ……というのは？」

「阿部さんのところも夫婦で来ると主人は言ったんです」

「夫婦で？　じゃあ阿部さんの奥さんもこちらに来ておられるのですか？」

　フロント係の話では、阿部佐智男は一人でやって来たということだった。

「そのはずなんですけど……」

秋子は掌を右頰にあて、首を捻《ひね》った。

「阿部さんとあなた方の関係を話していただけますか？」

小村は質問の方向を変えた。秋子はちょっと背筋を伸ばすようなしぐさをして、

「阿部さんの奥さんの芙美子さんが、私の短大時代からの親友なんです」

と言った。「だから付き合いは二十年近くになります。その間にお互いが結婚して、夫婦ぐるみの付き合いをしてきました」

「それ以外には接点はないのですか？　たとえば職場が同じだとか」

秋子は首を振った。

「とくにはありません。ただ、夫同士もウマが合っていたものですから、二人でよくゴルフなんかに出かけることはありました」

「今回のように、夫婦同士一緒に旅行に出ることもあったのですか？」

「ええ、年に一度か二度ぐらいは」

「さっきの話に戻りますが」

と小村は上目遣いに彼女を見て言った。「阿部夫婦も一緒だということは、今日車の中で聞かされたということでしたね。なぜご主人は前もってお話にならなかったんでしょう？」

「主人は」

と言ってから、秋子は少し考えるように口を閉ざして、「阿部さんのところも行くということは、昨日になって急に決まったことだから、話しそびれていたのだと言ってましたけれど」と続けた。

「ほう」

不自然だな、と小村は引っ掛かりを覚えた。「そんなことを話しそびれるというのは少し変ですね」

「私も気になりましたけれど、主人がそう言うものですから……」

秋子は俯《うつむ》き、掌でハンカチを揉《も》んだ。

「まあいいでしょう」と刑事は言った。「阿部夫妻の同行が、昨日突然決まったということですが、以前にもそういうことはあったのですか？」

「いいえ、今までにはそういうことはありませんでした」

「なぜ今回に限ってそういうふうに話がまとまったのですか？」

「人数が多いほうが楽しいだろうと思って、昨日主人が阿部さんに電話して誘ったんだそうです。そうしたらぜひ行きたいと、話に乗ってこられたそうです」

「なるほどねえ」

小村は頷いたが、心の中は釈然としない思いでいっぱいだった。真鍋公一はなぜ前日になって阿部夫妻を誘ったのか？　また、なぜそれを直前まで妻に隠していたのか？　しかし、そのどちらの疑問にも、秋子は答えられそうになかった。

「いいでしょう、話を続けてください。今度の旅行は阿部夫妻も一緒だと、車の中でご主人から聞かされたところからでしたね」

「はい……あの、それでホテルに来てチェック・インしました」

「ちょっと待ってください」

小村は掌を出して秋子を制した。笠井の話を思い出したのだ。「チェック・インは奥さんがなさってますね。フロント係によると、その時にはご主人の姿はなかったというのですが」

「ええ、それがホテルの近くまで来たところで、車を止めて主人だけが降りたんです。この近くに知り合いがいて、喫茶店で待ち合わせているからということでした」

「知り合い？」

小村は思わず声を大きくした。どうも話が妙な方向に進んでいきそうな気配だ。「どういう知り合いですか？」

「わかりません」

秋子はあっさりと答えた。「私も尋ねましたが、主人はちょっとした知り合いだと答えただけでした」

「その喫茶店というのは？」

「ここへ来る途中にある『ホワイト』という店です。ああそうだわ」

秋子は傍らに置いてあったハンドバッグからマッチ箱を取り出して小村の前に置いた。

「この店です」

小村はそれを手に取った。白地に黒い字で『ホワイト』と書いただけの味気ないデザインだ。裏に地図が印刷してあるが、たしかにこのホテルの近くだった。

「なぜこれを奥さんが？」

マッチ箱を持って、小村は訊《き》いた。

「喫茶店の前で別れる時に主人から手渡されたんです。部屋をチェック・インしたら、喫茶店に電話して部屋の番号を教えてくれって。用を済ませたら直接部屋に行くからと言ってました」

「ということは、ご主人はその店に入る前に、すでにこのマッチを持っていたということですね」

この刑事の言葉の意味が、秋子はすぐにはわからないようすだったが、やがて二、三度首を縦に動かして、

「ええ、そうです。そういうことになりますわね。たぶん前に入ったことがあったのだと思います」

「そのようですね」

小村はそのマッチを眺めまわしたのち、それを隣りの若い刑事に渡して、また秋子の方を向いた。「それで奥さん一人がホテルに来て、チェック・インをしたわけですね？」

「そうです。で、私だけ部屋に行ってから、言われたように喫茶店に電話をかけました」

「その時ご主人は何と言われました？」

「用が済んだから、これからすぐに行くと言ってました」

「ずいぶん早く用が済んだんですね？」

小村は秋子の表情を覗《のぞ》きこんで言った。だが彼女は別に顔色を変えることもなく、「そういえばそうですね」と答えただけだった。

「それでご主人はすぐに部屋に来られたのですね？」

「十分ぐらいしてから来ました」

「それから？」

「阿部さんたちの部屋は何号室かと私に訊きました。フロントで訊いておくように言われてたんです。二一二号室よと言うと、じゃあちょっと挨拶《あいさつ》して来るからと言って出て行きました」

「ご主人だけが出て行ったのですか？」

「はい。私も行くと言ったのですが、声をかけて来るだけだからということで……」

小村は腕を組んだ。また何か、引っ掛かるものを感じる。

秋子は続けた。

「しばらくして部屋の電話が鳴りました。受話器を取ると、主人からでした。今、阿部さんの部屋にいるが、つい腰を落ち着けてしまったから、おまえも来いと言われました。それで部屋に行くと、主人が一人でビールを飲んでいました。阿部さんはベッドに寝ているようすで、芙美子さんの姿はありませんでした」

「ちょっと待ってください。あなたが部屋に行った時、すでに阿部佐智男さんはベッドで横になっていたのですね？」

秋子は唾《つば》をごくりと飲むように喉《のど》を動かした。

「そうです。主人に訊くと、少し疲れたらしくて横になっているのだと言いました。それから、芙美子さんはどこにいるのかと訊くと、買い物に出ていると答えました」

「そのほかに何か変わったことはありませんでしたか？」

「さあ……とにかく何かようすがおかしいような気はしました」

そして彼女は、急に寒気を覚えたみたいに両方の二の腕のあたりをこすり始めた。

「その時ご主人は、すでにビールを飲んでおられたのですね？」

「はい、そうして私にも飲めと勧めてくれました」

「コップを出して、ビールを注いだのですね」

「ええ」と秋子は顎《あご》を引いた。

「飲みましたか？」

「いえ、それが……」

彼女は言い淀《よど》んで俯き、膝《ひざ》の上に置いてあったハンカチを取って、また目頭を押さえた。

「飲もうと思った時に、突然主人が声を上げて苦しみ出したんです。どうしたのと私は訊いてみましたが、答えるどころの騒ぎじゃなくて……。そのうちにぐったりして動かなくなったんです。まさかそのまま死んでしまっただなんて……」

彼女はハンカチをひろげ、両方の目を押さえた。

「それで慌ててフロントに連絡したというわけですね」

ハンカチで顔を覆ったまま、彼女は頷《うなず》いた。

「奥さん、よく思い出してください」

小村は俯いた彼女の顔を下から覗きこむようにして言った。「ご主人が苦しみ出す前のことです。何か変わったことはなかったですか？　あるいは、何か変わったことをご主人はされませんでしたか？」

秋子はハンカチを顔から離した。目が真っ赤だ。鼻も赤くしている。その顔のまま、彼女は首を傾けた。

「さあ、主人はビールを飲んだだけだと思いますけど」

「そのビールはご主人が自分で注がれたのですね？」

「そうです……」

そう言ったあと、秋子はふと遠くを見るような目をした。「どうしました？」と小村が訊くと、彼女はぼんやりした目つきのまま彼の方を見た。

「私のコップに注いでくれたビールが多すぎたので……それで私……あの人のコップに少し入れたんです。あの人が……冷蔵庫の中からつまみを出している時だったと思います」

ぎくっという衝撃が小村の脳裏に走った。だがその反面、これで事件の核心がおぼろげながら見えてきたという気持ちも芽生えてきた。

　はやる気を抑えて質問する。

「そのビールを飲んで、ご主人は苦しみ出したというわけですね？」

「ええ……。あのビールの中に何か入っていたんでしょうか？」

「おそらくそうだと思います」

　その途端、秋子の顔は何ともいえぬ複雑な表情に歪《ゆが》められた。もしかしたら自分が死んでいたのかもしれないという思いと、夫を身代わりにさせたという気持ちが交錯したのかもしれない。

「お話はよくわかりました」

　小村は腰を浮かせた。「たぶん殺人事件として捜査することになるでしょう。一刻も早く真相を究明するよう、全力を尽くします」

　秋子は深々と頭を下げた。

「お願いします。もし誰かの仕業なのだとしたら、その犯人を必ず捕まえてください」

「お約束します」

　彼女を見下ろしながら小村は答えた。だがその頭の隅では、それはどうなるかわからないなと考えてもいた。

5

秋子の話を聞き終えたあと、小村は現場の部屋に戻った。

「青酸化合物の可能性が強いですね」

武藤《むとう》という刑事が小村の耳元で言った。

「ビールの中に混じっていたのでしょうが、瓶の中に入れてあったのか、コップに塗ってあったのかはこれから調べます」

「毒物の容器は見つからなかったのか?」

小村が訊《き》くと、武藤はベッドの横の屑籠《くずかご》を指差した。

「ゴミ箱の中に白い紙が丸めて捨ててありました。鑑識の方で調べてもらってますが」

「ビール瓶やコップの指紋は?」

「コップには三人の指紋がそれぞれ付いています。瓶に付いていたのは、真鍋公一のものだけです」

「ふうん」

小村は唇を少し歪めて頷いた。「阿部佐智男の家には連絡したか?」

「電話をかけましたが誰も出ません。またあとでかけてみるつもりですが」

「阿部の荷物は?」

「ここです」

武藤は壁際に置いてあった濃紺色のバッグを引き寄せた。小村は手袋をはめて、バッグの中をさぐってみた。着替えが少しと洗面具、文庫本が一冊、それから筆記具。小さなノートが入っていたが、中には何も書いてなかった。

「男の持ち物だけだな。やはり奥さんの方は来ていないのかな」

秋子の話だと、阿部家も夫婦で来ると真鍋は言ったということだった。

「フロントでは、奥さんらしき女性の姿はなかったと言ってますよ」

と武藤。小村は小さく唸《うな》った。

「阿部佐智男は車で来ているんだったな？」

「白のクラウンです。裏の駐車場に停めてあります」

そう言って武藤は内ポケットに手をつっこみ、車のキーを取り出した。

「よし、ちょっと見てみよう」

小村が言ったので、武藤は頷いて部屋を出た。小村もそのあとについて行く。

車は駐車場の一番隅に停めてあった。洗車をしたばかりなのか、白い色がまぶしいほどに光っている。

「車の中には大したものは入っていないですね。車検証、保険証、免許証――もちろん本人のものです――あとはカセット・テープが数本と道路地図といったところです」

「トランクの中は？」

「ゴルフ道具が入っています」

武藤はキーを差し込んでトランクを開けた。なるほど茶色のゴルフ・バッグと、同じ色のシューズ・ケースが入っている。そのほかには自動車の工具類やタイヤ・チェーン、傘などだ。

「阿部佐智男はゴルフをするつもりだったのかな？」

この近くにあるゴルフ場を思い浮かべながら小村はつぶやいた。

「いや、たぶんそれはないと思いますよ」

だが武藤は先輩刑事の意見を言下に否定した。「真鍋公一の車も調べたのですが、あちらの方はゴルフの準備をしていません。阿部佐智男はゴルフの道具を車の中に入れたままにしていただけじゃないですか」

「そういえば真鍋夫婦も車で来たんだったな」

せっかくだからそちらも見ておこうと思って、小村たちは移動した。真鍋夫婦のアウディは、そこから数メートル離れたところに停めてあった。

こちらは阿部の車以上に何もなかった。唯一目立った点といえば真鍋秋子の免許証が見つかったことだが、これにしたところでどうということはない。

小村と武藤は駐車場を出ると、ホテルには戻らずに通りを歩いた。真鍋公一が人と会ったという喫茶店に行くためだった。

『ホワイト』という店はホテルから百メートルほど行ったところにあった。白を基調にした建物で、通りに面した方はガラス張りになっている。店長はパンチパーマをかけた三十過ぎぐらいの男だった。

　小村が事情を話すと、若い店長はウエイトレスを呼んでくれた。黒いミニスカートを穿《は》いた、子どもっぽい顔つきの女の子だった。

　女の子は最初は真鍋のことを覚えていないようすだったが、途中で電話がかかってきたことを言うと、思い出したようだ。

「ああ、グレーのジャケットを着たおじさん。そういえば電話がかかってきた時に、マナベって聞いたような気がする」

「電話がかかってきたのは一度だけかい？」

「そう。女の人だったな。おばさんっぽい声でした」

　秋子のことだろう。

「そのグレーのジャケットを着たおじさんは、どこの席にすわっていたのかな？」

「あそこ」

　と女の子が指差したのは、隅のテーブルだった。四人がけで、今は若いアベックがすわっている。

「入って来た時は一人だった？」

「はい」と頷《うなず》く。

「連れが来たんじゃないかな？」

「えー」

女の子は髪に手をやり、ふてくされたような顔をした。考えごとをすると、そういう表情になるらしい。

「来なかったと思いますけど……」

「来なかった？　ずっと一人だったのかい？」

女の子はまた髪に手をやった。不安な顔つきに変わっていく。その時、横で聞いていた店長が、

「ずっとお一人でしたよ」

と助け船を出した。こちらの方は自信がありそうな口調だ。

「たしかですか？」と小村は彼の顔を見た。

「間違いありませんよ。店に来て、十分ぐらいしたら電話がかかってきたんじゃなかったかな。そのあとすぐに出て行ったから、人に会ってる時間なんてなかったでしょう」

すると、真鍋公一は誰とも会わなかったのか。約束した相手が来なかったのか、それとももともと会う相手などいなかったのか？

「店に入って来た時にですね」

武藤が横から口を挟んできた。「真鍋さんは誰かを探しているようなしぐさはしませんでしたか？　たとえば店内を見まわすとか」

なるほど、と小村は納得した。誰かと会う約束をしていたなら、先に来ているかもしれ

ない相手を探すはずだ。

「どうだったかな？」

店長はウエイトレスの女の子を見た。女の子も頼りなく首を振る。「そこまでは覚えていないなあ……」

しかたがないと小村は思った。彼らにしてみれば、一日に何人もやって来る客の一人にすぎないのだ。

小村は女の子の方を向いた。

「その男の人は何を注文したのかな？」

「コーヒーです」

「注文した時だとか、コーヒーを持って行った時だとかに、何か気がついたことはなかったかな？　たとえばやたら時間を気にしていたとか」

だがここでも女の子は自信なさそうに首を振った。「別に何も気がつかなかったですけど」

「そう、しかたがないね。どうもありがとう」

そして小村は若い店長にも礼を言ってこの店を出た。

阿部佐智男の妻、芙美子がやって来たのは、結局この日の夜だった。彼女に連絡がついたのが、事件から三、四時間ほど経ってからなのだ。

捜査本部が設けられた所轄署で、小村は芙美子と会った。彼女は日本的な顔つきの美人で、ふだんは落ち着いた雰囲気を持っているのだろうと想像させた。ふだんはというのは、小村の前に姿を見せた時には目の縁を赤くさせ、はっきりとした動揺の色を浮かべていたからだった。

「このたびは本当に大変なことで……」

小村がそこまで言った時だった。彼女はきっと目を見開き、刑事の顔を睨《にら》みつけるようにして言った。

「犯人は秋子です。刑事さん、どうして秋子を捕まえないんですか？」

6

叫ぶように言ったあと、芙美子は俯《うつむ》き歯をくいしばるような顔をした。

しばらく沈黙。ようすを見て小村は口を開いた。

「奥さん、気持ちを落ち着けてください。そして私の質問によく考えて答えてください」

芙美子は見かけ以上に取り乱しているようだ。小村は意識的に口調をゆっくりにしてしゃべった。

「なぜ秋子さんが犯人だと思うのですか？」

芙美子の口が少し動いた。だが声にならずに、まず唾《つば》を飲みこんだ。

「だって……生き残ったのが秋子だけですから……犯人は彼女以外には考えられないんじゃないですか」

小村は彼女の顔を上から見据えた。彼女はさらに視線を下げる。何か隠しているなと直感するが、ここでは追及しない。

「話は変わりますが、今度の旅行にはなぜ奥さんは加わっておられないのですか？」

「だってそれは……主人が真鍋さんと行く、という話でしたから」

「真鍋さん？　真鍋夫妻という意味ですか？」

「いいえ。公一さんのことです。主人は真鍋さんにゴルフに誘われたからと言って、今朝家を出たんです」

「ちょっと待ってください」

小村は右手を出した。「そうすると今度の旅行は、ご主人同士だけで来ることになっていたのですか？」

「そうです。だから秋子まで一緒にいること自体がおかしいんです」

「秋子夫人の話では、もともと真鍋夫妻が二人で来るはずだったのが、昨日になって急遽《きゅうきょ》阿部さんのところも誘ったということでしたよ」

「そんなはずありませんわ」

芙美子は顔を上げた。そして抗議するように激しく首を振る。「うちの主人は真鍋さんに誘われたからと言って出て行ったんです。誘われたのは一週間も前です。本当です」

小村は夫人の顔を見返した。真実を語っているのか、嘘をついているのか判断がつきにくい。だがこんなことで嘘をつくメリットがあるだろうか？

小村は佐智男の車の中にあったゴルフ・バッグのことを思い出していた。たしかに彼はゴルフの用意をしていた。一方、真鍋公一はそれをしていない。

「わかりました。しかし真鍋公一さんは、奥さんの秋子さんに対してそういう説明はしておられないのです。あくまでも夫婦同士の旅行だと」

話の途中で芙美子は首を振り始めていた。

「そんなはずはありませんわ」

小村は頷いた。合点がいったわけではない。むしろ不可解な点が増えたといえる。だがこうした不可解な点が、すべて事件解決の鍵《かぎ》になるという手応《てごた》えがある。案外早くカタがつくかもしれないという思いが、彼の脳裏をよぎった。

「さっきの話に戻りますが」

小村は芙美子の目を見て言った。「事件をお知りになった時、すぐに犯人は秋子夫人だと思われたわけですか？」

「ええ、それは……」

と彼女はまた唾を飲む。「直感的にそう思ったんです」

「今もそう考えておられますか？」

「だって」

芙美子は少し声を上げ、それからまた低い声で「だって、生き残ったのは秋子だけなんでしょう？」と、さっきと同じことを主張した。

「もし事件の真相があなたの考えておられるとおりだったとして、動機は何だと思いますか？　つまり、なぜ秋子夫人は二人の男性を殺す必要があったのでしょう？」

「それは……あの……」

芙美子の視線の行方が不規則に漂う。やはり何かあるんだな、と小村は見抜いた。

「奥さんと秋子夫人は、短大時代からの親友だったそうですね？」

「ええ……」

「どうも解《げ》せないんですよ。その親友を疑うというのがね。何か理由があるとしか思えない」

彼女は今度は固く目を閉じた。何かを迷っているように見える。小村は辛抱強く待つことにした。が、彼女の目は案外早く開けられることになった。

「うちの主人は……浮気をしていたんです」

開き直ったようにはっきりした口調で彼女は言った。「えっ？」と小村は訊《き》き直した。

「浮気をしていたんです」

彼女は繰り返した。「しかも相手は……あの秋子だったんです。だからもう親友なんかじゃありません」

小村は一瞬息を止め、ゆっくりそれを吐き出した。なるほど、と思う。芙美子がいきなり秋子を犯人扱いした心理状態が理解できた。

「阿部佐智男さんと真鍋秋子さんが、浮気をしておられたんですね?」

念を押すように訊く。彼女は唇を固く結んだまま頷いた。

「あなたが浮気について気づいているということを、ご主人たちは知っておられたのでしょうか?」

「いえ、たぶん知らなかったと思います」

「その浮気が、今度の事件に関係あると考えておられるのですか?」

「秋子は」

と言って彼女は深呼吸をひとつした。「浮気のことを公一さんに知られたので、それで公一さんを殺したに違いありません。主人も一緒に殺したのは、過去を清算するためかもしれません」

「公一さんに知られたから? 公一さんは、秋子夫人の浮気をご存じだったのですか?」

「ええ」と芙美子は答えた。「私が教えたんです」

「ほう」

小村は目の前の人妻を見直した。浮気を知って夫を責める前に、その相手の夫に知らせるとは。

「奥さんはどのようにして浮気のことをお知りになったのですか?」

「最近少しようすがおかしいと思っていたものですから、探偵……興信所に主人の行動を調べてもらったんです」

「何という興信所ですか？」

「それは……」

芙美子は口ごもった。

「確認する必要があるんですよ」と小村は言った。「信用しないわけではないんですが、すべて確認してからでないと、結論を出せないんです」

すると彼女は小声で、「探偵倶楽部です」と言った。

「探偵倶楽部？　ああ、なるほど。彼らに依頼されたわけですか」

小村も聞いたことはある。金持ちの会員相手にだけ動く連中だ。だが阿部夫妻はブルジョアというほどではない。会員が庶民化してきたのかもしれない。

「すると浮気場面を捉《とら》えた写真なんかも手元にあるわけですか？」

「いえ、それは全部真鍋さんにお貸ししました」

「真鍋公一さんに？　それはいつのことですか？」

「先週の金曜だったと思います。浮気のことをお話しに真鍋さんの会社に行った時に、持って行ったんです。そうしたら、自分に考えがあるからと言われて、全部持っていかれました」

自分に考えがある？

「奥さんが話すまでは、真鍋さんは浮気のことはご存じなかったのですね？」

「はい。そのようでした」

「怒っておられたでしょうね」

「それはもう……。あまり感情を表に出さない方ですけれど」

小村は腕組みをし、唸《うな》り声を上げた。浮気を知った真鍋公一は、いったい何をするつもりだったのか？　秋子の話を聞いた限りでは、とくに妻を問いつめたりはしていないようだった。

「浮気のことを知ってから今日まで、奥さんご自身は何か行動を起こされたのですか？」

「いいえ。とりあえず真鍋さんにお任せしようと思っていました」

「そんな時にご主人がゴルフに誘われた——何かあると思いませんでしたか？」

「思いました」

芙美子ははっきりと言った。「もしかしたら二人っきりでゴルフをしながら、浮気のことを問いつめたりするのかなと思いました」

そういう解釈もあるなと小村は感心した。いろいろな考え方があるものだ。

このあと小村は、最近の阿部佐智男のようすに何か変わったところはなかったかと尋ねてみた。浮気が暴露《ばれ》ていることに気づかなかったらしく、ふだんとまったく変わるところがなかったというのが彼女の答えだった。

7

芙美子の話を聞いてから、小村と武藤の二人は再び事件の起こったホテルを訪ねることにした。真鍋秋子はとりあえず今夜はここに泊まっているのだ。

「事件の輪郭がつかめてきた」

ロビーの椅子にすわって秋子を待ちながら、小村は武藤に話しかけた。「秋子と阿部佐智男が浮気していたとなると、いろいろと筋が通ってくる。犯人は十中八九、真鍋公一だ」

「秋子と佐智男を殺そうとしたわけですね？」

「そういうことだ」

最初の直感どおり、事件は案外簡単に片付きそうだ——小村はソファにすわって足を伸ばした。

だが、ことはそう簡単には進まなかった。

「私が佐智男さんと浮気ですって？　とんでもないわ」

芙美子から聞いた話をしたところ、秋子が目を吊り上げて否定したのだ。ある程度はとぼけるだろうと予想していた小村たちも、さすがに面食らった。

「しかしですね、芙美子さんがはっきりとおっしゃってるんですよ。佐智男さんの素行調査を探偵に依頼したところ、あなたとラブホテルに入るところを写真に撮って持って来たとね」

「何かの間違いです」

よほど頭にきているのか、昼間とは別人のような勢いだ。「芙美子も芙美子だわ。それならそうと、私に直接言ってくれればいいのに」

「間違いと言ってもですね、事実写真に写っていたそうなんですよ」

「そんなはずありません。その写真というのは、いつ写したものなんですか?」

「先週の水曜日だということです」

佐智男はいつも水曜日に浮気をしていたらしいということも、小村は芙美子から聞いていた。

「先週の水曜日? ちょっと待ってくださいね」

秋子は眉《まゆ》を寄せた。真剣にその日のことを思い出そうとしているように、小村には見えた。

やがて秋子は刑事たちを見返してきた。やや胸を反らせ気味にしている。

「そうですわ。その日だったら私は、高校時代の同窓会に行ってました。夕方からずっと皆と一緒でした」

「えっ同窓会? 本当ですか?」

「本当ですわ」

失礼な、と言わんばかりに秋子は鋭い目線を返してきた。小村は武藤と顔を見合わせた。いったいどちらが本当のことを言っているのだろう?

「わかりました、では確認してみましょう」

そして小村は、その同窓会で秋子が一緒だった人間の名前と連絡先を尋ねて控えた。秋子は機嫌をそこねたままだ。

「しかしですね、いずれにしても芙美子さんは真鍋さんに、あなたと佐智男さんが浮気をしているとしゃべっているのですよ。したがってご主人が何らかの反応をあなたに見せたと思うのですが」

手帳を閉じながら小村は訊いた。

「主人がどういう誤解を抱いていたかは私にはわかりません。この旅行に来る前にも、いつもと違ったようすはなかったようですわ」

「そうですか」

小村はまた武藤の顔を見た。そして、どちらからともなく溜息《ためいき》をついた。

なんとなく嫌な予感が二人の刑事を襲っていた。

8

事件の二日後、小村と武藤は東京に出ていた。まず当たったのは、秋子が同窓会で顔を合わせたという女性だった。山本《やまもと》マサ子といって、美容院を経営している。

「ええ、あの日は秋子と一緒でしたよ。夕方六時ぐらいに集合して、それから十時ぐらいまで騒いでました。あたしと秋子は昔からお酒が強くて、一番最後まで飲んでいるくちだったんです。ずっと一緒でしたよ。ところで彼女、何かあったんですか?」

念のために同窓会に出席したという何人かの女性に確認の電話を入れたが、全員が秋子のアリバイを証言した。つまり佐智男と一緒にホテルに入ったのは秋子ではない。

次に刑事たちは、阿部芙美子の家の近所にある喫茶店で、探偵倶楽部の連中と待ち合わせをした。探偵たちには芙美子から連絡してもらったのだが、この場には彼女はいなかった。

約束の時刻より一分前に探偵たちは現われた。黒い服を着た男と女だった。ひと目見ただけでわかるほど、普通人とは印象が違った。

小村は探偵たちに事情を説明し、捜査に協力してもらう必要があることを強調した。探偵たちも、依頼人が了承しているのなら協力は惜しまないと答えた。

「先々週月曜日、阿部芙美子さんは君たちにご主人の素行調査を依頼したとおっしゃっているんだが、間違いはないね?」

「間違いありません」

男の探偵が答えた。抑揚がなく、低い声だ。

「その調査結果はどうだったかな?」

「水曜日に変化が出ました」

　探偵はその週の水曜日の佐智男の行動を説明した。芙美子の話とほぼ一致していた。

「写真はないのかい？」

「ええ。ネガも全部欲しいとおっしゃったので、お渡ししました」

　ふうん、と頷《うなず》いてから、小村はポケットから数枚の写真を取り出した。一枚が秋子の写真で、残りは無関係な女性のものだ。

「佐智男氏の相手の女性が、この中にいるかな？」

　探偵は助手の女とともに、その写真を念入りに見た。途中二人は妙な表情を見せたが、それは見覚えのある顔がないからではないかと小村は解釈した。

「顔ははっきりとはわからなかったのですが、似ているとすればこの人ですね」

　そう言って探偵は秋子が写っている写真をつまみあげた。

「わかりました」

　小村は満足して写真をポケットにしまった。どうやら芙美子の方も嘘をついていないようだ。

「その女性があの時の女性だったのですか？」

　探偵の方が訊《き》いてきた。協力してもらった手前、無視するわけにもいかない。

「いや、この女性ではないようなのだよ。芙美子夫人は、どうやらこの女性と間違えたらしいのだが、間違えるほど似ているかどうかを君たちに見てもらって確認したわけだ」

「似ているようだね。この女性は真鍋秋子という人だが、その人の旦那《だんな》でさえ間違えたらしい」

「ああ、なるほど」

「あの写真を、その真鍋秋子という人の旦那さんに見せたのですか？」

「まあね。芙美子夫人も相当逆上していたようだ」

そして小村は、芙美子が真鍋の会社に乗りこんで行ったことを探偵に話した。

「その時に写真はすべて真鍋公一の手に渡ったらしい。で、どうやら真鍋氏はそれらの写真を処分してしまったようだね」

「なぜ処分したのでしょう？」

「さあね。何か考えがあったのじゃないかな」

小村は腕時計を見て腰を上げた。これからまだ行くところがあった。


小村たちが次に訪れたのは、真鍋公一の勤務先だった大営通商だ。そこの来客室で、真鍋の部下で佐藤という若い社員と会った。佐藤は阿部芙美子が来た時のことを覚えていた。

「まず電話がかかってきましてね、会う約束をしておられたようです。たしかに阿部さんとおっしゃいました」

「会ってから、真鍋さんはまた席に戻られたと思うのですが、その時のようすはどうでしたか？」

「ものすごく不機嫌でしたよ」

佐藤は声を少し落とした。「黙りこんじゃいましてね、どうやら阿部さんという人が、何か面白くない話を持って来たみたいだなと想像していたんですよ」

その想像は当たっていると、小村は教えてやりたくなった。

「佐藤さんは、阿部という女性とはお会いにはならなかったのですね？」

「ええ。どうやら部長のプライベートな話のようでしたからね。ただね、たまたまその女性が来客室から出て来るところを見たという人間はいますよ。呼びましょうか？」

「そうですね、確認のために」

少し待っていてください、と言って佐藤は出て行き、五分ほどして二人の若い男女を連れて戻って来た。男の方は松本《まつもと》、女の方は鈴木《すずき》と名乗った。

「松本君は来客室から女性が出て来るところを見たらしくて、鈴木君はお茶を運んだんだそうです」

「なるほど、その人はこの女性でしたか？」

小村は芙美子の顔写真を女性の方に渡した。彼女はひと目見て頷いた。「間違いありません。この人です」

次に松本という男性社員がそれを見た。ところが、彼は即座に首を振った。

「違いますよ。こんな女性じゃなかったです」

「違う？　本当ですか？　もう一度よく見てください」

小村に言われて、松本はじっくりと写真を見直した。だがやはりうんざりした顔で、

「違いますね。もっと若い女性でした。眼鏡をかけていたけれども、とびきりの美人で、しかもスタイル抜群でした。だから印象に残っているんです」

「へえ……」

どういうことだろう、と小村は思った。その日真鍋は、阿部芙美子以外の女性とも会っていたということか。

「あの、刑事さん」

佐藤が遠慮がちに口を出した。「鈴木君の方が、この写真の女性に間違いなかったといってるんですから問題ないんじゃありませんか？　松本君が見たのは他の女性なんだと思いますよ」

「どうも、そういうことらしいですな」

写真をしまいながら、それでも小村はなんとなく引っ掛かっていた。再び松本の顔を見る。

「その若い女性も、真鍋さんと会っておられたのですね？」

「そうです」

「それは何時頃でしたか？」

「三時少し前だと思います。僕はその頃に自販機のコーヒーを買いに行くのですが、その時に女性が来客室から出て来るのを見たんです」

「ああ、それなら」と佐藤がここでも口を挟んだ。「その女性と会ったあとで、部長は阿部という女性と会ったんですよ。三時に来客室に来てくれと電話で話しておられたのを覚えています」

「なるほど、それで筋が通りますな」

小村は納得して頷いた。その若い女性というのが依然として気にかかってはいるが。

佐藤たちに礼を言ってから、小村と武藤は大営通商をあとにした。その頃にはもうほぼ完全に、彼らは事件の真相について推理し終えていた。

9

佐智男の葬式を終えた翌日、芙美子が久しぶりに家でゆっくりしている時、事件を担当している小村刑事がやって来た。奥へ通そうとしたが、ここでいいと言って彼は玄関に腰を下ろした。

「あの、それで事件の方は？」

おそるおそるといった感じで芙美子は尋ねた。

「じつはそのことで来たのです」

小村はちょっと遠くを見る目をした。言葉を選んでいる表情だった。

「どうやら真相がはっきりしました」と彼は言った。

芙美子は両膝《りょうひざ》を床についたまま、背筋をぴんと伸ばした。

「犯人は真鍋公一氏のようです」

「え?」と彼女は小さく漏らした。

「真鍋氏が犯人です。彼は阿部佐智男さんと秋子さんが浮気をしたと思いこみ、二人を心中に見せかけて殺そうとしたのです」

「そんな……」

「そう考えれば辻褄《つじつま》が合います」

小村刑事の話は、だいたい次のようなものだった。

芙美子から自分の妻の不貞を知らされた公一は、憎しみのあまり二人を殺すことを考えた。そのためには心中に見せかけるのが一番手っ取り早い。公一は、伊豆のホテルで二人が落ち合い、そこで死ぬという状況を作ろうとした。

まず佐智男をゴルフに誘った。ふだんからよく二人で行くから怪しまれることはない。そして宿の名前を教えて、佐智男の名前で予約しておいてくれと頼んでおく。また、当日はホテルで落ち合うことにしておく。

次に秋子を旅行に誘う。ここでもまた宿の名前を指定して、秋子の名前で予約させる。これで、佐智男と秋子が別々に宿を予約したという状況ができる。

当日の公一の行動は明白になっている。チェック・インを秋子にさせて、自分はホテルの人間に見つからないように部屋に行く。そのために喫茶店に入ったりしたのだ。

ホテルに行くと、まず自分だけが阿部の部屋に行く。そしてビールに毒物を入れて殺した。彼をベッドに運んだあとで秋子を呼び、同じように殺すつもりだった。あとは二人の死体を並べて、自分は人に見られないように脱出すればよい。ところが秋子を殺そうとした時に、思わぬ誤算が生じた。彼女が自分のビールを彼のコップに注いでしまったのだ。それを知らなかった公一は、逆に自分が死んでしまったというわけだ。

「二本のビール瓶と三つのコップを調べたところ、一本のビール瓶から青酸カリが検出されました。三つのコップにはどれも青酸カリ入りのビールが入っていましたが、公一氏が飲んだと思われるコップは、他の二つよりも濃度が低かったようです。たぶん最初は毒が入っていなかったのでしょうが、秋子夫人が自分のビールを注いだためにそうなったのでしょう」

「あの、青酸カリはどこから？」

「公一氏の弟さんが金属加工業を営んでおられますが、そこで使っているらしいですから持ち出すのは簡単でしょう」

案外管理が杜撰《ずさん》なんですよ、と刑事は付け加えた。

「そうすると、やっぱり私が早とちりしたのがいけなかったんですね」

芙美子は俯《うつむ》いたままで、重そうに口を動かした。今の刑事の話が真実ならば、彼女が公一に浮気のことを話したのが発端ということになる。

「結果的にはそうなりますが、気になさらないほうがいいですよ。写真に写った女性を、公一氏でさえ自分の妻と思いこんだのですからね。その写真が見つからないのが、今もなお心残りなのですが」

また何かあったら連絡すると言って、刑事は帰って行った。

芙美子は玄関から出て、彼が去って行くのをいつまでも眺めていた。

10

二日後の夜、芙美子は秋子の家に行った。二人だけで酒を飲もうということになったのだ。

「本当に私の早とちりで、大変なことになってしまったわ。ごめんなさいね」

グラスを持って、芙美子が言った。

「いいのよ、気にしないで。うちの人がよく確かめなかったのがいけないのよ。おかげで、あなたのご主人まで死なせちゃうことになったわ」

秋子が答える。そして二人はしばらく見つめ合っていたが、やがて噴き出した。

「ああ、おかしい。こんなお芝居はもうコリゴリよ」

芙美子は酒にむせそうになりながら笑った。

「私だって嫌よ。でもスリルはあったわ」

「スリルなんてものじゃなかったわよ。本当にヒヤヒヤものだったのよ」

そう言って芙美子は、この何日間かの出来事を思い出していた。

そもそものきっかけは、浮気が公一に暴露《ばれ》たらしいと秋子が相談しに来たことだった。

もちろん相手は佐智男などではない。彼女がＯＬ時代に付き合っていた男が相手だ。

秋子の悩みは、浮気を理由に公一から離婚を迫られそうだということだった。もともと別れる気など全然ない。ほんの遊びのつもりの浮気だったのだ。今ここで離婚されたら、秋子には何も残らない。

「いっそ死んでくれればいいのに」

過激な台詞《せりふ》だったが、彼女は本気らしかった。

「死んでほしいのは私だって一緒よ」

芙美子は佐智男のことを言った。年はとったが収入は大して増えず、思ったような贅沢《ぜいたく》がなかなかできない。そこで夫に隠れて株に手を出したが、これが暴落してしまった。まだ佐智男には気づかれていないが、銀行預金はほとんどなくなっている状態だし、借金もしている。何とかしなければと考えるたびに思うことは、佐智男が事故か何かに遭ってくれないかということだった。佐智男はかなり高額の生命保険に入っているからだ。加えて、佐智男に男性としての魅力を感じなくなっている。年齢が離れているせいもあるが、二人で一緒にいると息がつまるような気がすることが多くなった。子どももいないことだし、いっそ独身になって女盛りの時期を楽しみたいと思うようになった。

最初は冗談半分だったが、しだいに本気になった。本気で、お互いの夫を殺そうという話になったのだ。

二人が考えたのは、公一が佐智男を殺して自分も間違って死んだという状況を作ることだった。これなら警察の追及もかわせると思ったのだ。

まず芙美子が夫婦で伊豆に旅行することを佐智男に提案した。佐智男が了解すると、宿の予約を彼にさせた。

しばらくして秋子が、芙美子たちと一緒に旅行することを公一に納得させる。宿の予約は秋子が行なった。

出発の二日前には、芙美子が真鍋夫婦も一緒に行くことになったと佐智男に報告した。

当日の朝、芙美子は実家に急用ができたので、先に行ってくれと佐智男に言った。佐智男は芙美子の実家には近づきたがらないので、言われたとおりに自分一人で伊豆に向かった。ゴルフ・バッグはこっそりと前日のうちにトランクに入れておいた。

佐智男を送り出すと芙美子はすぐに家を出て、レンタカーを借りて伊豆に向かった。

一方秋子は、『ホワイト』という喫茶店の前で車を止めると、公一に言った。

「芙美子たちはこの店で待ってるって言ってたのよ。私、ホテルでチェック・インして来ますから、あなたここでコーヒーでも飲んでいてください」

なぜこんな店で待ち合わせしたんだと公一は妙な顔をしたが、秋子は適当にごまかしてきり抜けた。

ホテルの前で秋子と芙美子は落ち合った。そして秋子がチェック・インを済ますと、二人で佐智男の部屋に行った。芙美子があまりに早く着いたので彼は少し驚いたようすではあったが、あまり深くは怪しまなかった。

青酸カリは秋子が用意した。公一の弟の工場から持ち出したのだ。それをビールに混ぜて飲ませると、佐智男はじつにあっけなく死んだ。不思議なことに、芙美子も秋子もまったく恐怖心を抱かなかった。

佐智男をベッドに運ぶと、芙美子はホテルを出て自宅に向かった。秋子は『ホワイト』に電話して公一を呼び出し、芙美子たちと会えたからと、二一二号室——つまり佐智男の部屋に来るように言った。

間もなく現われた公一にビールを飲ませて殺すと、秋子はフロントに電話して懸命の演技を披露《ひろう》した。

「でも今度の計画で一番凝ってたのは、佐智男と秋子の浮気現場ね」

芙美子はニヤニヤしながら言った。それを考えたのは芙美子だったのだ。

あの水曜日の夜、佐智男とラブホテルに入ったのは、じつは芙美子だったのだ。秋子の髪型に似たかつらをレンタル・ショップで借り、サングラスをかけて吉祥寺で佐智男と待ち合わせたのだ。たまには夫婦であういう場所に入ってみるのもいいと言う彼女の誘いに、佐智男はたやすく乗ってきた。もともとそういう悪趣味なことが好きな男なのだ。

公一の会社に行った時も、むろん浮気のことなど話すためではない。会社の近くに来たからと言って、世間話をして帰ったのだ。

「ついてた面もあるのよ」

秋子が言った。「その日公一はずいぶんと機嫌が悪かったらしいの。だからあとで調べた時に、あなたから浮気のことを聞かされたせいと警察は解釈したらしいわ」

「神様まで味方してくれたというわけよ」

「日頃の行ないがよかったせいかしら」

そんな言葉を交わして二人は笑った。

探偵倶楽部がやって来たのは、その直後だった。

玄関のチャイムが鳴り、秋子が出て行くと二人の男女が立っていたのだ。何の用かと訊《き》くと、「渡したいものがある」と探偵は言った。

「何ですか？」

「これです」

探偵は写真を差し出した。それを受け取った秋子は、大きく目を開いた。そこには自分が公一以外の男と密会しているシーンが写っている。

「これを……どうして？」

「ご主人から依頼された件です」

と言ったのは、女の方だった。落ち着いた、低いがよく通る声だった。

「主人が？」

「ええ。真鍋さんは三週間前に、私どもに奥様の素行調査を依頼されていたのです」

「そう、主人が……。でも残念だったわね、もうあの人は死んでしまったわ。何も知らないままね」

そう言って秋子が写真を破ろうとした時、女の探偵は言った。

「ご存じでしたよ、何もかも」

秋子の手が止まった。「知ってた……ですって？」

「ご存じでした」

女は繰り返した。「依頼されて間もなく、私が真鍋さんの会社に行ってご報告しましたから。その時にこの写真もご覧になられました」

「それはいつ頃なの？」

たまらず芙美子が横から口を出した。鼓動が速くなっている。

女は言った。「金曜日です。警察の話によると、そのあとであなたも真鍋さんにお会いになったんだそうですね」

「あ……」

芙美子は混乱した。自分の前にこの探偵が公一と会っていて、秋子の本当の浮気のことを報告していたのだとすると――。

「このことを警察にしゃべったら、事態は百八十度ひっくりかえるでしょうね」

探偵は不気味な笑みを見せた。

「狙いは何なの？」

秋子が相手を睨《にら》みつけながら言ったが、探偵の表情は変わらなかった。

「狙いなどありませんよ。逆にもし真相が公表されれば、われわれは大きな被害を受けることになるでしょう。巧妙な犯罪に利用されたピエロ役というわけで、イメージ・ダウンになります。しかし、だからといって探偵倶楽部が利用されたままにしておくわけにもいかない。われわれは大きな犠牲を覚悟の上で、あなた方の計画を暴くことにしたのです」

「でも証拠はないはずだわ」

芙美子は言った。「どうやって立証するつもり？」

すると探偵は哀れむような目をして彼女を見て、ゆっくりと首を振った。

「あなた方は何もわかっておられないのですね。われわれが本気になれば、大抵のことはわかってしまうのです。たとえば、あなたが伊豆へ行くのに、どのような方法を使ったかというようなことはね。おそらくレンタカーではないかと、われわれは想像しているのですが」

「……………」

「それはほんの一例です。場合によっては証拠を作ってしまうことも可能なのですよ」

「そんなこと……通用するわけないじゃないの」

「さあ、それはどうでしょう？　巧妙に偽装すれば簡単に世間の目をごまかせるということは、今回あなた方が証明してくださったじゃないですか」

「ちょっと待って」

秋子はすがるような目で探偵の二人を見上げた。「お金が目的なの？　それなら何とかするわ」

だが探偵は首を振った。

「今回のことはわれわれ自身にも問題があったと思っているのですよ。探偵倶楽部の会員のレベルをあまりに下げすぎたばかりに、こういうことに巻きこまれたのだとね」

探偵は背中を向けた。助手の女もそれに倣《なら》った。

「では、また」

そして二人は闇の中に消えて行った。

薔薇《バラ》とナイフ

1

コツ、コツ、という音が書斎に響いた。

黒檀《こくたん》の机を人差し指で叩《たた》く音である。

叩いているのは大原泰三《おおはらたいぞう》だ。叩きながら真っすぐ前を睨《にら》んでいる。睨まれているのは、書斎机の前に置いた椅子で小さくなっている由理子《ゆりこ》――泰三の娘だった。

彼女の横に一人の男が立っていた。ダーク・グレーのスーツを着て、ブラック・メタルの眼鏡をかけている。やや細身で、マスクも端整だ。彼の方は別に泰三の視線を恐れたようすもなく、習慣的に目線を下げているという感じだった。

泰三の指の動きが止まった。娘に向けていた目をゆっくりと男の方に移動させる。

「聞こうか、葉山《はやま》君」

太い声だった。しかしよく響くのは、ふだんから身体を鍛えているからだろう。

葉山と呼ばれた男は徐々に顔を上げ、泰三と目が合ったところで、眼鏡の中心を中指でちょっと押し上げた。

「結論だけ申し上げますと」

彼はちらっと横の由理子を窺《うかが》い、それからまた泰三の方を向いた。「ご心配のとおりだということです」

泰三の頬の肉がぴくりと動いた。そして改めて自分の娘を睨みつける。彼が示した反応はこれだけだった。

「間違いないのか？」

「間違いありません」

葉山の方もポーカーフェイスを心がけているようだ。声にも抑揚がない。抑揚のない声で、彼は付け加えた。「お嬢さんは妊娠しておられます」

泰三が大きく息をするのが、胸の動きでわかった。

「何か月だ」と彼は訊《き》いた。

「二か月です」と葉山が答えた。

泰三は短く低い唸《うな》り声を出した。そして机の上の煙草入れから一本取り出すと、それに火を点《つ》け、ふうーっと斜め上に吐き出した。

「誰の子だ？」

「はっ？」と訊き直したのは葉山だ。

「君に訊いているんじゃない」

泰三は厳しく言い放った。「おまえに訊いているんだ、由理子」

名前を呼ばれて彼女はびくりと背筋を緊張させた。だが顔は俯《うつむ》いたままだ。

「どうなんだ？」

泰三は問い詰めた。「子どもの父親は誰なんだ？　答えなさい」

だが由理子は黙っていた。このような詰問を受けることは承知の上で、しかもけっして その名前を口に出すまいと決心してきたかのようだった。

「私は席を外したほうが……」

葉山が遠慮がちに言った。泰三は、第三者がいることに初めて気づいたようすで、「あ あ、そうだな。そうしてくれ」と珍しくうろたえた口調で指示した。

葉山が出て行ってからも彼の詰問は続いた。しかし由理子は答えない。口を開こうとす らしないのだ。泰三は煙草をちょっと吸っては灰皿でもみ消し、また新しい煙草に火を点 けるという動作を繰り返した。

「研究室の人間か？」

ふと思いついたというように泰三は訊いた。由理子の顔色から変化は読み取れない。だ が彼女の膝《ひざ》の上に置いた手が、一瞬強く握り締められるのを泰三は見逃さなかった。

「そうなんだな？」

彼の声が大きくなった。由理子の沈黙から、彼は自分の推理を確信した。「くそっ」と 吐き捨てる。

「恩をアダで返すとはこのことだ。こともあろうに私の娘に手をつけるとは……許さん、 絶対に許さん」

泰三は机を掌《てのひら》で叩くと、立ち上がって由理子を見下ろした。「いいか、子どもは堕《お》ろすんだ。おまえをそんなつまらん男に渡すわけにはいかん。その男の名前を言うんだ。追放してやる」

　するとこの時初めて由理子は顔を上げた。そして赤く充血した目で、泰三の視線を真正面から受けた。

　彼女は言葉を咬《か》み締めるようにゆっくりと言った。

「いやよ」

「なんだと？」

「いや、と言ったのよ。その人の名は言わないし、子どもも堕ろさないわ」

「由理子っ」

　泰三は彼女の前まで行くと、右手を振り上げた。だが彼女は下唇を咬んで、その父親を見上げていた。

「ぶてばいいわ。いつだってそうしてきたんでしょ？　だけどそんなやり方がいつまでも通用すると思ったら大間違いだわ」

　数秒間、親子は睨み合っていた。だが、やがて泰三の方が目をそらして右手も元に戻した。由理子は深い吐息をついた。

「行きなさい」

　泰三は娘に背中を向けながら言った。「おまえの決心はわかった。だが私にも考えがある。相手の男を探り出すことなど造作もないことだ。必ず探り出し、二度と私の目の前に出てこられぬようにしてやる。もちろんおまえの前にもだ」

行きなさいと、彼は繰り返した。由理子は背筋を伸ばしたまま立ち上がると、唇を真っすぐに閉じたまま、後ろのドアから出て行った。

2

大原泰三は和英《わえい》大学の教授であり、同時に理工学部長を務めている。和英大創始者との縁故関係も深く、父親は学長を務めたこともあった。順当ならば、次の学長選挙あたりで立候補し、ほとんど無競争で就任できるはずだった。

立場上、彼は理工学部全体に目を配らねばならないわけだが、彼の本来の専門といえば遺伝子工学であった。彼が若い頃は注目度も一部的なものだったが、近年になって、その進歩はめざましいものがある。どちらかというと今まで画期的な成果の乏しかった和英大が、最近になって活気づいてきたのも、遺伝子工学において名前を上げてきたからで、そういう意味では泰三が現在の地位を手に入れたのも、あながち親の威光のおかげばかりとはいえなかった。

泰三が直接指導することは少なくなったが、大原教室では現在も活発に研究が進められている。助手の数も多く、学生の人気も一番だった。泰三はたまに彼らを家に呼んで、食事や酒を振る舞った。自分の名声をさらに上げるためには、彼らの士気を盛り上げることが一番だという計算があったのだ。

大原家は和英大から電車でひと駅という距離にあった。大原家に限らず和英大創始者の親戚《しんせき》縁者は、だいたいこのあたりに居をかまえている。

その大原家に二人の男女が姿を見せたのは、泰三と由理子が言い争いをした翌日のことだった。日が傾き、前栽《せんざい》の枝が長い影を落とし始めていた。

お手伝いの吉江《よしえ》が玄関に出て行ったが、二人は名乗らなかった。「大原泰三さんはご在宅でしょうか？」と男の方が抑揚のない声で尋ねてきただけだった。

「失礼ですが、どちらさまでしょうか？」と吉江が訊いてみると、「クラブの者だと言っていただければわかるでしょう」という答えが返ってきた。

男は黒っぽいスーツをきっちりと着こなしていた。長身で、三十代半ばぐらいに見える。どことなく日本人ばなれした顔つきで、くぼんだ目は鈍く光っていた。

女は髪の長い美人だ。切れ長の眼は冷たそうで、引き締まった口元は意志の強さを示しているかのようだ。

応接間で二人と対峙《たいじ》した泰三は、まずは満足そうに頷《うなず》いた。彼がイメージに描いていたとおりの人間がやって来たからだった。

彼は二人にすわるように勧め、自分もその向かい側に腰を下ろした。

「利用するのは初めてだが、探偵倶楽部《くらぶ》の評判は聞いているよ。結論からいって、すこぶるいい。私の仲間にもメンバーがいるんだが、仕事ぶりに喜んでいるようすだった」

「恐縮です」

男が頭を下げた。隣りの女もそれに倣《なら》った。

「仕事ぶりもそうだが、秘密厳守という点も気にいっているとその男は言っていた。その点は間違いないね？」

「間違いありません」

感情を殺した声で男は答えた。こういう淡泊さも泰三好みだった。

「いいだろう。じゃあ仕事の話にかかろう」

泰三は身を乗り出し、両手を軽くテーブルの上で組んだ。「私には娘が二人いる。直子《なおこ》というのが上で、下は由理子という。これは余談になるかもしれんが、それぞれの母親は別だ」

「再婚なさったのですか？」

メモをとっていた女の方が訊いた。アナウンサーのように低く、落ち着いた声だった。

泰三は頷いた。

「直子の母親は、直子が三つの時に家を出て行ったんだ。娘を連れてな。援助も何もいらないから、直子だけは自分の手で育てさせてくれというメモが置いてあった。メモの横にサイン済みの離婚届を添えてな。私が再婚したのはその一年後だ。その相手が由理子の母親だった」

当時泰三は助教授になったばかりだったが、和英大内での力はすでに強力になりつつあった。再婚の相手として選んだ女性は、万年助教授と呼ばれた男の娘だった。派閥に属していないがために教授になれなかったその男は、泰三と親戚になることで力を得ようとしたのであろう。娘に恋人がいることを承知で、泰三のもとに嫁がせたのだ。そしてこれは後でわかったことだが、その恋人とは泰三の同僚の菊井《きくい》という男だった。

「再婚して十年ほど経った頃、その二度目の妻は病気で死んだ。もともと丈夫なほうではなかったからな。ところがそれからさらに二年後、今度は別れた妻が死んだという知らせを受けた。皮肉なことだ。で、私は直子を引き取ることにした。それが直子の母親の遺志でもあったしな」

「なるほど」

黒いスーツの男が言った。

泰三は目の前の男女の顔を見較べながら、

「今日頼みたいことというのは、由理子のことだ」と言った。

「じつはわが家の主治医で葉山という男がいる。家族全員の健康チェックを任せているのだが、その男が最近妙なことを言い出した。由理子が妊娠しているのではないかというのだ。冗談じゃないといったんはつっぱねたが、やはり気になる。それに由理子の行動もなんとなく不審だった。それで葉山に命じて確かめさせたところ、間違いないということだった。私は由理子に父親の名前を問い詰めた。だが娘はけっしてそれをしゃべろうとはしない。さすがの私も弱ってしまったというわけだ」

「つまり、われわれにお嬢様の相手の男を突き止めて欲しいということですか？」

男が訊《き》いた。泰三の話を聞いている途中も今も、まったく感情らしきものを表に現わさない。

「そのとおりだ」

泰三は真剣な眼差《まなざ》しで答えた。「しかも極秘で……だ」

「お嬢様の写真はありますか？」

「用意してある」

泰三は傍らに置いてあった書類鞄《かばん》を開けた。そこには由理子の写真はもちろん、研究室のメンバーに関する資料も準備してあった。

3

「探偵倶楽部？」

由理子の首に腕をまわしていた男が、半身を起こして彼女の顔を見た。彼女は横になったまま頷いた。

「吉江さんが言ってたのよ。立ち聞きだから、聞き違えたのかもしれないけれど」

「何の話をしていたんだ？」

男は由理子の髪を触りながら訊いた。

「そこまでは聞いていないらしいわ。吉江さんは、相手が名乗らなかったから、名前だけでも聞いてやろうと思って立ち聞きしたらしいから」

「探偵倶楽部か……」

　男はもう一度由理子の横で身体を伸ばし、大きな溜息《ためいき》をついた。

「知ってるの？」と由理子は男の横顔を見た。

「金持ち専門の探偵だよ」と男は答えた。「メンバー制になっていて、そこに登録されている会員の仕事しか請け負わない。たぶん君のパパもメンバーの一人なんだろう」

「あたしのおなかの子の父親を探す気なのかしら？」

「たぶんね。それ以外に思い当たらないじゃないか」

「パパはあたしを政財界の家に嫁がせようとしているのよ。あたし個人の気持ちなんか全然考えてくれないで……。昔はあんなふうじゃなかったのよ。何でもかんでも、あたしを中心に考えてくれていたのに……」

「少女時代は終わったということだ」

「違うわ」

　由理子は思いつめた瞳《ひとみ》を宙に向けた。「奪われたのよ」

　男は煙草を吸い、乳白色の煙を吐いた。煙は由理子の視界の中で、ぐらりと崩れた。

「あなたのこと、気づかれたらどうしよう？」

　男は沈黙した。気づかれたらどうしようもない。おそらく追放されるだろう。

さ」と言った。

「ねえ……」

由理子が心配そうな声を出して男の胸に頬を当てた。男は彼女の肩を抱いて、「大丈夫さ」と言った。

「いくら名探偵でも、手掛かりがなければどうしようもないはずだ。まあしかし、当分は会わないほうがいいだろうな」

男は枕元のスタンドを消した。

4

泰三が探偵倶楽部と会ってから一週間が経った。まだ経過報告は入ってこなかった。

この夜、泰三は久しぶりに研究室のメンバーを食事に招いた。明日開かれる学会に備えて、連日研究員たちが資料作りに奔走してくれたことに対する労《ねぎら》い、というのがその理由だった。例年このように、学会の前にはご馳走《ちそう》を振る舞うことにしているのだ。もちろんこの機会に、由理子の相手の男をなんとか見抜いてやろうという魂胆も泰三にはあった。

十二畳の和室にテーブルを二つ並べて置き、助手や院生、学生がすわった。招いたメンバーは八人で、うち三人が助手だった。

料理は由理子と吉江の二人が運んだ。直子は今日も帰りが遅くなるらしい。

「おっと上野《うえの》君は、酒はだめだったな」

泰三は、上野という助手のコップに注ぎかけていたビールを引っ込めた。上野というのは童顔で、身体つきも丸い男だ。

「そうですよ、彼は今夜じゅうに向こうのホテルに入って、徹夜で発表の練習をしなきゃいけないんですからね」

こう言ったのは上野の横にすわっている元木《もとき》という助手だ。顔色が悪く、どことなく貧相な感じのする男である。だが人のいい性格だということで通っている。

「徹夜はしないよ」

上野は苦笑した。「だいぶ練習したからね。今夜は確認程度で済むはずなんだ」

彼は明日の学会で、研究成果を発表することになっている。だが会場が少し遠いため、前夜のうちに近くのホテルに入るというのが通例のようになっていた。そして発表の練習が不充分な場合は、そのホテルで一人で特訓したりするのだ。

「何時頃ここを出る予定かね？」と泰三は上野に訊いた。

「十時頃出ます。そうすれば一時か二時頃にはホテルに入れるだろうと思いますから」

「車で行くんだったな。気をつけて行きたまえ」

気をつけます、と上野は頭を下げた。

「発表の資料なんかは、全部持ったんだろうな？」

今まで泰三の横で黙ってビールを飲んでいた男が、泰三のコップにビールを注ぎながら尋ねた。やはり助手で、神崎《かんざき》といった。大柄な男で、それに比例して顔も大きい。グレーの作業服を着たままなのは、アパートがこの近くだからである。

神崎はもともとは泰三の助手ではなかった。泰三の同僚の菊井の助手だったのだ。だが何年か前に菊井が事故で死んで以来、泰三の仕事を手伝っている。

「大丈夫、しっかり確かめて鞄に入れたよ。あとはホテルまで開けないつもりだ」

「そのほうがいいな」

神崎はコップのビールを飲み干した。

彼らが帰ったのは十時少し前だった。泰三と由理子が玄関先まで見送った。

「くれぐれも気をつけてな。私は明日は、たぶん午後から見に行くことになると思うが」

泰三が声をかけると助手たちは、ごちそうさまでしたと言って帰って行った。

由理子は彼らの姿が見えなくなると、泰三の方を見向きもせずに自分の部屋に戻って行った。

泰三に探偵倶楽部からの電話が入ったのは、それからさらに三十分ほど経ってからだった。彼は自分の書斎で、その電話を受けた。

「音沙汰《おとさた》がないので、正直いって心配していた」

泰三は、開口一番まずこう言った。皮肉のつもりである。探偵は相変わらず何の抑揚もない声で、「一週間を一応のメドに考えていたものですから」と言った。言い訳のつもりらしい。

「で、どうなんだ」と泰三は逸《はや》る気持ちを抑えきれずに訊いた。「子どもの父親はわかったのか？」

探偵の回答は、「まだです」という、じつにあっさりとしたものだった。

「なんだ、ずいぶん手こずっているんだな」

「というより、まったく動きがありません。少なくともこの一週間、お嬢さんが相手の男と接触した事実はありません」

「ふむ、あいつらも警戒しているということだな。しかしそれも長続きはせんだろう？」

「われわれもそう考えております。ただ研究室の人間は明日に学会を控えているらしく、忙しくて逢引《あいびき》などしている余裕がないということもあるようです。したがって学会が終わってから、何らかの動きが見られるのではないかと思われます」

「なるほど、それはそうかもしれんな」

無愛想な声を出しながらも、泰三はある程度満足していた。学会のことは探偵には話していなかったのだが、それにもかかわらず、ちゃんとそういう情報はキャッチしているからだ。

「わかった、次の連絡はいつ頃もらえる？」

「学会が終わってからになりますから、三日後あたりかと」

「結構。よろしく頼む」

泰三は受話器を置いた。

彼が椅子に腰を下ろし、就寝前の読書を始めようとした頃、ドアをノックする音がした。

お手伝いの吉江が、日本茶を持って来たのだった。いつもの習慣だ。

「直子はまだ帰らないのか？」

湯気の上がる茶をすすったあと、泰三は吉江に訊《き》いた。

「つい先程お帰りになられました。もうお部屋の方に入られたと思いますけど」

「相変わらず酔ってるのか？」

直子が遅く帰る時は、大抵かなりの酒を飲んでいる。

「ええ、少し……」

吉江は言いにくそうに、俯《うつむ》いた。「しかたのないやつだ」と泰三は舌を打った。だが舌を打つだけで、彼女に面と向かって叱りつけることはできなかった。彼の胸の中に、直子に対する絶対的な負い目があるからだった。

直子を引き取ったのは彼女が十七の時だった。まだ高校に通っていて、顔つきにもあどけなさが残っていた。越して来た時の荷物の少なさと、彼女の服装、それから痩《や》せた彼女の肉体が、それまでの母子二人の生活の厳しさを物語っていた。

直子の母親が家を出た原因は、単純にいえば夫婦間の不和ということになる。当時、泰三は研究に没頭していて、ほとんど家庭のことなど顧みない男だったのだ。家のことはすべて妻に押し付け、金さえ充分に与えておけば義務は果たしたことになると信じていた。したがって妻が娘を連れて家を出た時も、彼には心当たりがまったくなかった。

大原家を出た時、直子は三歳で、当然のことながら泰三のことなどまったく覚えていないようすだった。それでも泰三のもとに戻って来たのは、母親が死ぬ間際にそう望んだからだという話だ。泰三に直子を引き取って欲しいと言ってきたのも、その母親だった。おそらく自分の死期を感じて、直子の将来のためにはそれが一番いいと判断したのだろう。もちろん泰三に異存はなかった。

だが直子は、なかなか大原家の中に溶けこもうとはしなかった。越して来た当時はいつも自分の部屋に閉じこもったきりだったし、食事もめったに泰三たちとはしなかった。由理子は十二になっていたが、そばに寄って行くと鬱陶《うっとう》しそうに眉《まゆ》をひそめるだけだった。

高校を卒業し、女子大に通うようになってからも同じようなものだった。しょっちゅう家を出ていたし、帰って来ても自分の部屋で音楽を聞いたりして時間を過ごしていた。由理子とは多少話をするようだったが、泰三に対しては、彼女の方から声をかけてくることはまずなかった。

大学を出てからは、地元の薬品メーカーに勤めている。たまに友人を連れて帰ることがあったりして、かなり彼女の性格も丸みを帯びてきたようだが、それでもまだその友人を泰三に紹介してくれるようなレベルではなかった。ただ彼女の部屋から聞こえてくる笑い声などから判断すると、外ではかなり明るく振る舞っているようだった。

――あの子も誰か好きな男と結婚でもすれば、おそらく性格も変わってくるだろう。それまでは辛抱強く見守るしかない……。

泰三はいつもこう思うのだった。

5

翌朝由理子は、その悲鳴をベッドの中で聞いた。枕元の目覚まし時計は、七時ちょうどを示していた。いつも由理子が起きる時刻だ。目覚まし時計のベルは神経に触るので、吉江に起こしてもらうようにしている。そしてさっきの悲鳴は、どうやら吉江のもののようだった。

「どうしたんだ？」

泰三ののんびりした声がして、部屋の前の廊下を歩く音が続いた。

「ゆ、由理子お嬢様が」

吉江が叫んでいる。これを聞いて由理子は、ネグリジェの上にガウンを羽織ると、あわてて部屋を飛び出した。ほぼ同時に泰三が由理子の名を呼ぶ声も聞こえた。

廊下では吉江が隣りの部屋のドアのところで立ち尽くしていた。彼女は由理子の姿を見て、大きく目を剝《む》いた。

「違う、直子だ」

部屋の中で泰三が叫んでいる。「どうしたの？」と由理子は吉江の後ろから室内を窺《うかが》い、そして次の瞬間には顔を覆っていた。膝《ひざ》を折り、廊下にしゃがみこむ。「あっ、お嬢様」と吉江は由理子の身体を支えた。

ベッドでは直子が倒れていたのだ。

「そうすると、本来あの部屋は由理子さんの寝室になるわけですね？」

目線の鋭い男が、ボールペンの先で由理子の方を差しながら訊いた。男は捜査一課の刑事で、高間《たかま》と名乗った。引き締まった身体つきと、日焼けした顔が精力的な印象を与えている。

事情聴取は大原家の応接間で行なわれていた。由理子のほかには、泰三、吉江、それから葉山がいる。葉山は吉江が警察に連絡したあとで、電話をかけて呼んだのだった。

刑事の質問に対し、由理子はぎこちない動作で頭を下げた。「そうです」

「で、あなたの方が直子さんの部屋で寝ていたわけですね。なぜ部屋を入れ替わったのですか？」

「それは、昨夜あたしがシャワーを浴びている間にお姉さんが帰って来て、あたしのベッドで眠ってしまったからです」

「ほう……そういうことはしばしばあったのですか？」

「いいえ、めったにそんなことは……たぶんお姉さんは酔っていたんだと思います」

「なるほど」

高間は二、三度頷《うなず》いて、「直子さんが酔って帰るということは、よくあったのですか？」と、これは誰にともなく訊いた。

「時々ありました」とやはり由理子が答えた。「それに昨夜は、会社の関係で宴会があるようなことを言っていました」

「ほう……会社はどちらですか？」

「名倉《なぐら》薬品です」と泰三が答えた。高間は頷き、横にいた若い警官に何事か耳打ちした。警官は小さく会釈して席を外した。

刑事は再び視線を由理子に戻した。

「あの部屋があなたの部屋だということは、どういう人が知っていますか？」

由理子は軽く目を閉じて考えた。親戚《しんせき》や友人はもちろん知っているだろう。あとは大原家に出入りしていた人間——たとえば研究室の人間ということになる。

由理子がそれを言うと刑事は手帳をボールペンで叩《たた》きながら、「つまり、かなりの人間が知っているということですな」と言った。

「犯人はそのことを知っている人間なんでしょうか？」

ショックからかなり立ち直った泰三が訊くと、刑事は深刻な顔つきで言った。

「おそらくそうでしょうね。したがって犯人が殺したかったのは、直子さんではなく由理子さんだということになります」

「なぜ由理子を？」

しばらくの沈黙の後、泰三が言った。やっと絞り出したという感じの声だった。由理子は無表情で宙を見つめていた。

「それはわれわれにはわかりません。こちらから伺うべきことです」

刑事は改めて由理子の方に向き直った。

「どうでしょう？　あなたにそういう心当たりはありませんか？」

彼女は、ゆっくりと頭を振った。そのようすは、心当たりがないというよりも、今は考えられないと主張しているようだった。

「由理子さんを狙ったのではなく、強盗の仕業だとは考えられないのですか？」

今まで黙っていた葉山が口を開いた。もちろん彼は、由理子の妊娠のことは泰三から固く口止めされている。

高間刑事は、猟犬のような目をその医師に向けた。

「可能性がゼロということはありません。しかし盗まれた物がまったくないという点に疑問が残ります」

「でもいくら暗くても人違いなんて……顔を確かめなかったんでしょうか？」

「確かめなかった、ということでしょうな。由理子さんと直子さんは体格がひじょうに似ているし、犯人としては、まさか昨夜に限って入れ替わっているとは思わなかったのでしょう。それから……傷口はご覧になられましたね？」

「見ました」と葉山は答えた。警察が到着した時、彼もすでに来ていたので、検視に立ち会ったのだ。直子は背中に刺傷を受けており、凶器はなかった。傷口から判断して登山ナイフのようなものだろうと刑事調査官は述べていた。

「直子さんは背中に刺傷を受けていましたよね。つまり、うつぶせに眠っているところを襲われたと考えるのが妥当のようです。そうすると、犯人にとって顔が見えにくかったということは充分に考えられます」

刑事の説明に納得したのか、葉山はそれ以上反論しなかった。

「ところで」と刑事は全員の顔を見まわした。「解剖結果が出るまでは詳しいことは言えないのですが、現在のところ、死亡推定時刻は昨夜の午前一時から二時ぐらいと判断されています。つまり、犯人が忍びこんだのもその頃だということです。そこで犯人の侵入経路ですが」

高間刑事は泰三や由理子たちの背後を指差した。「裏の塀を越え、裏庭を横切ってトイレのところまで行き、窓から侵入したのち由理子さんの部屋に忍びこんだものと思われます。トイレの窓にはふだんあまり鍵《かぎ》を掛けないということですし、お嬢さんたちの部屋のドアには鍵がついていないわけですから、犯人としてはさほど困難ではなかったでしょうな。さてそこでですが、昨夜一時から二時ぐらいの間に、何か物音は聞かなかったですか？　家の中を他人が歩きまわったわけですから、不審な物音のひとつやふたつはあったと思うのですが」

刑事はゆっくりと一人一人の顔を見ていった。由理子がためらいがちに、「あの……」と言った。刑事は彼女に注目した。

「その頃目を覚ました覚えはあります。でも何か音がしたかどうかまではわかりません」

「それは何時ぐらいですか？」

「時計を見たんですが、暗くてはっきりとは見えなかったんです。一時をちょっと回っていたように思いますが」

「参考になります」

刑事は満足そうだった。

このあと吉江や泰三にも刑事は期待を持ったようだが、彼らは由理子たちの部屋とは離れた場所で寝ていたため、何も記憶がないという答えしか得られなかった。

事情聴取が一通り終わり、全員が腰を上げた。そして応接間を出ようとしたところで、高間が葉山に声をかけた。大事なことを、うっかり忘れていたというような言い方だった。

「なんですか？」

葉山はやや固い顔つきで尋ねた。逆に刑事の方は気軽な調子で言った。

「昨夜の午前一時から二時頃まで、どこにおられたか教えていただけませんか？」

葉山は刑事の顔を見て、それから抑えた調子で、「私を疑っているということですか？」と訊《き》いた。刑事は首を振った。

「関係者全員から訊くつもりです。捜査のためには無駄になるであろう情報も、山ほど集めなければならないのです。どうかお気になさらずに答えてください」

葉山は泰三の方を見た。彼も、しかたがないだろう、という顔をしている。葉山は頷き、

「ただし証明することはできません。なにしろ自分の部屋で一人で寝ているのですから」

葉山もやはりこの近くのマンションに住んでいた。大原家に来ない場合は、通常大学病院に勤務している。

「時間が時間ですからな」

高間もそれ以上は問い詰めなかった。

このあと泰三は学会の会場に電話をかけ、欠席の旨を伝えた。事務局の人間は理由を尋ねてきたが、とても言えなかった。

そして間もなく記者会見が行なわれ、所轄署の署長から事件の概要が述べられた。泰三も同席し、記者連中の質問を受けた。

助手の神崎が現われたのは、九時少し前だった。記者会見も終わり、捜査員たちもいったん引き揚げようとしていた頃だった。彼は泰三を迎えに来て、事件のことを聞いたのだった。

食堂で泰三がぐったりとしているところに彼は駆けつけて来た。泰三は彼の顔を見上げ、それから力なく首を振った。

「失礼ですが、あなたは?」

彼が駆けこんで来たようすを見ていたらしい高間が、近寄って来て訊いた。右手には黒い手帳を持っている。

「助手の神崎です」と彼は答えた。

「今日はなぜこちらへ？」

「先生をお迎えにあがったのです」

神崎は、自分と泰三との関係、今日学会があって出席することになっていたことなどを刑事に説明した。高間は一応納得したような素振りを見せた。

「お住まいはどちらですか？」

神崎は自分の住所を言った。それがこの家の近くだと判ったからか、高間の目つきが少し鋭くなった。

「失礼ですが、昨夜の一時から二時頃、どちらにおられましたか？」

逆に今度は神崎の目の方が光った。「アリバイですか？」

刑事は顔の前で掌《てのひら》を振った。

「あまり堅苦しく考えていただくと困るのです。役所の手続きだと解釈してください」

神崎は腕を組み、それから小さく首を傾けた。

「そんな夜中にアリバイのある人間がいるとしたら、お目にかかりたいものですね。僕は自分のアパートで寝ていましたよ。もちろん一人です」

刑事は首をすくめ、かすかに笑みを浮かべた。「皆さん、そうおっしゃいますよ。私もそう思います」

それから刑事は、ご協力ありがとうございましたと言って去って行った。

警察の姿が見えなくなってから、泰三と由理子、それから葉山と神崎と吉江の五人は、食卓を前にすわり、黙ったまま茶を飲んだ。泰三や由理子は食事は摂《と》っていないが、もちろん誰もそんなことは言い出さなかった。

「すまんが」

泰三が思いつめた声で言った。全員の視線が彼に集まる。彼は続けた。「私と由理子の二人だけにしてもらえないだろうか」

まず吉江が腰を上げた。ポットを持って台所に向かう。葉山と神崎は顔を見合わせて、それから無言で立ち上がった。

食堂には泰三と由理子の二人だけになった。

泰三は目を閉じてしばらく何事かを考えているようすだったが、やがてその目を開けて由理子に注いだ。

「まだ男の名前を言う気にはならんのか?」

由理子は呆然《ぼうぜん》として父親の顔を見返した。一瞬質問の意味が理解できなかったような表情だった。

「何を言うの、こんな時に……」

「こんな時だから……こんなふうになってしまったから、敢《あ》えて訊いているんだ」

泰三の声には、まるで何かの決心を固めたような響きがこめられていた。

「どういう関係があるっていうのよ?」

「いいか」

彼は自分の気持ちも落ち着けようとするかのように、一言一言を咬《か》み締めるように言った。「命を狙われたのはおまえだ。だが私の知る限り、おまえが狙われるような心当たりはまったくない。ということは、私がおまえについて知らない部分の中に事件の鍵があるということだ。おまえが私に持っている秘密は数多くあるだろうが、その中でも最大のものが、腹の子どもの父親のことだろうと思う。だからその名前をいえといってるんだ」

「あの人と事件とは何の関係もないわ」

「まだそんなことを……」

泰三が立ち上がった時、傍らの電話がけたたましく鳴った。彼はしばらくそのままの姿勢で娘を睨《にら》み続けていたが、やがてゆっくりと電話台に歩み寄った。

電話をかけてきたのは探偵だった。泰三はしばらく待ってくれと言うと、電話を書斎の方に切り替えて食堂を出た。由理子は俯《うつむ》いたままだった。

「こちらからかけようと思っていたんだ」

書斎に戻って受話器を取ると、泰三は声をひそめて言った。

「このたびは誠にたいへんなことで。心中お察し申し上げます」

探偵の声は相変わらず無感情で事務的だったが、不思議に泰三は心を打たれた。

「もう知っているのか？」

訊いてから彼は気づいた。彼らはつねに由理子をマークしているのだ。この家で騒ぎが起こって知らないはずがない。

　探偵はこれには答えず、「どうしますか?」と訊いてきた。

「うむ、私もそれを相談したかったんだ。今君たちが派手に動くと、警察は必ず気づくだろう。そうすると由理子の妊娠のことも露見するおそれがある」

「いえ、私がお尋ねしたのはそういう意味ではありません」

　探偵はあくまでも冷静な口調で述べた。「狙われたのが由理子さんだとすると、警察は必ずお嬢さんの男性関係も調べあげるでしょう。われわれのように極秘で動く必要がないだけに、大胆で徹底した調査になるだろうと想像します。そうなれば、お嬢さんの相手の男の名前が判明するのは時間の問題であろうと思われます。となると、大原さんがこのまわれわれに仕事の継続を命じる必要性があるかという疑問が残るのですが」

　泰三は唸《うな》った。まったくそのとおりだった。若い娘が被害者となると男関係を当たるのが定石だと、何かの本で読んだ記憶もある。

「なるほど……な」

「どうされますか?」

「どういう方法がある?」

　ほんの少しの沈黙があって、探偵はしゃべり出した。

「警察の捜査によって、大原さんの当初の目的は達せられる可能性は強いと思います。しかし、もしかしたら殺人犯は男性関係とはまったく別の世界に潜んでいて、警察がそちらから摑《つか》むほうが早くなるかもしれません。そこでとりあえず、今回の事件が解決するまでわれわれの調査は中断し、解決後もなお由理子さんの相手の男性が不明の場合は、再開するという具合にしてはいかがでしょうか？」

探偵の提案は妥当なようであった。だが男性関係とまったく別の世界に犯人が潜んでいるなんてことがあるのだろうか——もちろん泰三が今ここで考えこんでも仕方のないことだったが。

「わかった、それでいこう」

じつにいやな気分を咬み締めながら、彼は受話器を置いた。

6

その夜、上野と元木の二人の助手が大原家を訪れた。泰三と由理子、それから吉江を入れた三人が、砂を咬むような食事をしている最中だった。

「ごくろうさん。疲れただろう」

泰三が出迎えた。二人は深々と頭を下げた。泰三は二人を応接間に通した。

「じつはこんな時に伺ったのは、大切なお話があったからなんです」

上野の方が改まった口調で切り出した。元木も身体を固くしている。

泰三は二人の顔を見較べて訊《き》いた。「なんだね？」

上野は元木の方にちらっと視線を向け、それから自分の手元を見つめて、「昨夜、ちょっとしたことがあったんです」と言った。

「昨夜？　この家を出てからかね？」

上野は頷《うなず》いた。

「具体的には、僕がホテルに着いてからです。ホテルに着いて、例によって発表の確認をしようとした時、資料の一部が欠けていることに気づいたんです。まあこの件については、大至急元木君にファックスで送ってもらうことで片はついたのですが……」

「前にも一回そういうことがあったな。あの時もファックスで送ったんだった」

「このこと自体はいいのです。問題は僕が元木君に送ってもらったという点なんです」

そして上野はいったん口を閉じ、乾いた唇を舌で舐《な》めた。「今、先生もおっしゃったように前にも同じようなことがありました。でもあの時はたしか、神崎君にファックスを頼んだんでしたよね。なぜかというと、彼のアパートが一番大学に近くて、何か大学に忘れ物をした時でも、すぐに取りに行ってもらえるからです」

「うん、そうだったな」

泰三は少々じれてきた。上野が何を言いたいのか、さっぱり見当がつかないからだ。

「じつは今回も神崎君に真っ先に連絡したんです。ところがコールサインを何度鳴らしても、いっこうに受話器を取ってくれないんです。いくら眠っていても、あれだけ鳴らしたら目を覚ますと思います」

泰三は煙草入れに伸ばしかけていた手を止めた。

「その時彼は部屋にいなかった……というのか？」

「……と思うんです」

「それは何時ぐらいかね？」

上野は自分の頭の中で確認するように軽く目を閉じてから、「僕がホテルに着いてすぐですから、一時半頃だと思います」と言った。

泰三の背後で何かが砕け散る音がしたのはその時だった。彼は即座に立ち上がると、部屋のドアを開けた。

そこには由理子が、呆然としたようすで立っていた。目は泰三の方を向いていたが何も見てはいなかった。足元には銀盆が転がり、コーヒー・カップの破片とコーヒーと、それから砂糖が飛び散っていた。

「由理子、相手は神崎かっ」

この言葉で彼女はわれに返ったようだった。そして何かを恐れるように後ずさりすると、突然玄関に向かって駆け出した。

「待ちなさい」

泰三は彼女を追った。そして玄関を飛び出そうとする直前で彼女の腕を摑《つか》んだ。吉江もやがて現われ、二人の助手も事情がよく飲みこめない顔つきのままやって来た。

「放してっ、あの人のところに行くんだから」

「目を覚ませっ」

泰三の右の掌《てのひら》が由理子の頰に飛んだ。それで彼女の全身の力が抜けたようになった。泰三は彼女の両肩を摑んで、激しく揺すった。

「いいか、あの男はおまえを殺そうとしたんだぞ。おまえを殺そうとして、間違って直子を殺した殺人犯なんだぞ」

「嘘よ、そんなの、何かの間違いだわ。あたし、あの人に確かめるんだから」

「間違いなものか。現にあの男は嘘の供述をしているじゃないか。証人だっている」

「でたらめよ。どうしてあの人があたしを殺さなきゃいけないのよ」

「おまえとのことが暴露しそうになったからだ。私に知られれば、遺伝子工学の世界から永久に追放されると思ったからだ。奴は昔から、そういう計算高いところのある男だったのだ。そんなことも見抜けずに……おまえはなんて愚かな娘なんだ」

「放してよ」

「いい加減にしろ」

泰三は再び彼女の頰を打った。そして彼女の身体を摑んだまま、呆然と成り行きを見つめている人々の方を向いた。

「吉江、由理子を部屋に連れて行くんだ。そうしてしばらく頭を冷やさせろ。それから警察に電話して、何といったかな昼間の刑事……」

「高間刑事ですか」

「そうそう高間刑事だ。彼に電話して、ちょっと来てもらうように言うんだ。理由は話さなくてもいい。とにかく来てくれとだけ言うんだ」

「わかりました」

吉江は由理子の身体を抱きかかえるようにして廊下を歩いて行った。それを見送ったあと泰三は二人の助手に目を向けた。

「すまないが、もう一度応接間に行ってくれないか。頼みたいことがあるんだ」


上野たちから昨夜の電話の件を聞いた高間は、すぐに署に電話して神崎から話を聞くよう連絡した。声の調子から、多少興奮していることが泰三にもわかった。

「よく知らせてくださいました。有力な決め手になるかもしれません」

高間が頭を下げたが、上野たちは複雑な面持ちですわっている。同僚のことだけに、後味がよくないだろうことは容易に想像がついた。

「ところで先程の話ですが」

手帳を見ながら高間は頭を掻《か》いた。「神崎さんがお嬢さんを追いまわしていたという話ですが……大原さんはいつ頃お知りになったのですか？」

「まったく知りませんでした」

泰三は目を閉じ、弱々しく首を振った。「迂闊《うかつ》だったと反省しております。なにしろ由理子が何も言わなかったものですから」

「あなた方もご存じなかったのですか？」

刑事の質問の矛先が助手たちに移った。自分たちも全然知らなかった、と上野と元木は答えた。

神崎が一方的に由理子に夢中になっていただけで、由理子にはその気はなかった——これが泰三が作り出したシチュエーションだった。やがて神崎が捕まって、警察で由理子の妊娠のことをしゃべるかもしれないが、こちらはしらをきり通せばいいと考えていた。警察にしても犯人の言うことを百パーセント信用することはないだろうし、だいいち、由理子が妊娠していようがいまいが、神崎が犯人だという事実には変わりがないのだ。そのうちにこっそり堕胎を済ませて葉山に証言させれば、捕まった腹いせにでたらめをしゃべったものと判断されるだろう。

上野と元木にも、先刻の由理子の醜態については、口を閉ざしてくれるよう命じてあった。

「お嬢さんから、お話を伺えるとありがたいのですが」

遠慮がちに高間が言った。泰三はしばらく考えこむ素振りを見せてから、「今日はちょっと」と顔をしかめて見せた。

「ほんの少しでいいのです」と刑事。泰三は首を振った。

「いろいろとあったものですから寝込んでいるのです。とても話せる状態ではないと思いますので、明日にしていただけませんか？」

無理もないと考えたのか、刑事もそれ以上は言わなかった。「では明日の朝にでも」と確認しただけだった。

その時応接間の電話が鳴った。吉江が即座に取って応対したが、「刑事さんにです」と高間に受話器を渡した。

「おう、俺だ」

高間は受話器を耳に当てて相手の話を聞いているようすだったが、その顔色がみるみる変わっていくのが、傍《はた》で見ている泰三たちにも明らかだった。

由理子は二階の部屋で横になっていた。ふだん客間として使っている部屋で、吉江が床を敷いてくれたのだ。由理子は部屋の灯《あか》りを消したままで、さっきからずっと枕を抱きしめていた。

コンコンという音が闇に響いた。ドアをノックする音だ。由理子が答えないでいると、かすかに軋《きし》み音を立てながら、入口のドアが細く開けられた。廊下の灯りが室内に流れてくる。

「起きてるか?」

泰三の声だった。

「なに?」と訊《き》く。ずいぶんかすれた声が出た。

彼はドアをさらに開けると中に入って来た。だが灯りはつけず、ゆっくりと由理子に近寄って来た。

「何なのよ？」

怒った声を出して彼女は父親を見上げた。入口から漏れる光を受けて、父の目が光っている。

泰三は深呼吸をしたようだ。そして低く言った。

「神崎が……自殺をしたそうだ」

7

神崎の死体は、指示を受けて彼のアパートに出向いた、所轄署の捜査員によって発見された。チャイムを押しても応答がないので台所の窓から中を覗《のぞ》いたところ、テーブルの上に突っ伏している彼の姿を見つけたのである。捜査員は大家に連絡して、合鍵《あいかぎ》で入口を開けさせた。

神崎の死因は右の頸部《けいぶ》切創《せっそう》による出血多量だった。凶器と思われるナイフは、だらりと下がった右手の下あたりに落ちており、それは形状や大きさなどから見て、大原直子を殺害したものと同一であろうと判断された。

着衣の乱れ、争った形跡なども現場には見当たらなかった。

「それに、ためらい傷」

検視に立ち会った高間が、あとから来た捜査員に説明した。「致命傷の上下に、浅い切り傷が三箇所平行にある。思いきりがつかなくて、何度もしくじったということだ。出血の具合もおとなしい。まあ覚悟の自殺とみてよさそうだな。解剖の必要もないだろう」

「遺書はないようだな」と相手の刑事が言った。

「動機は勝手に判断してくれってところかな。女にふられた腹いせに、その女を殺そうと出かけたが、間違ってほかの女を殺しちまった。もう何もかもが絶望的で、死ぬしかないと思った――ってところだろう」

「最初は心中するつもりだったって考えもあるぜ。相手の女を殺して自分もってわけだ。同じ刃物を使ったところなんか芝居じみてるじゃないか」

「どっちでもいいよ。とりあえず、やれやれだ」

犯人に死なれてしまったという落胆はあったが、事件自体のおさまりがついたことで、高間たちには多少安堵《あんど》した気持ちがあった。

8

事件から一週間が過ぎた。

和英大の遺伝子工学研究室に電話がかかった。受話器を取ったのは助手の元木だった。

「上野さんはいらっしゃいますか?」

若い女の声だった。落ち着いていて発音もたしかだ。

「上野は出張で、今日は戻らないのですが」

「じゃあ元木さんは?」

「私です」

電話の向こうで、ほっとしたような気配があった。

「わたくし北東大《ほくとう》の立倉《たてくら》と申します。じつは先日の学会に出席できなかったものですから、ぜひ発表資料をコピーさせていただきたいと上野さんにお願いしてあったのです。もしよろしければ今日これから伺いたいと存じますが」

「それはかまいませんが、発表資料だけなら冊子に掲載されているのと変わりませんよ。それ以外の資料となると、私一人の判断ではお答えできないのですが」

「いいえ、発表資料だけで結構なんです。冊子のほうは縮小してあるものですから、図面関係がとても見にくくて……」

それはたしかにそうだった。もう少しなんとかならないものかと、いつも不満に思うことだ。

「じゃあいいですよ。昼過ぎなら時間がありますので」

よろしくお願いします、と言って女は電話を切った。

そして女は一時ちょうどに受付から電話をかけてきた。元木は理工学部専用ロビーで会うことにした。

「わざわざ申し訳ありません」

挨拶《あいさつ》してきた女を見て、元木は目を丸くした。見事な黒髪を肩までなびかせ、身体つきは日本人ばなれしている。形のいい唇は魅力的で、かつ知的である。眼鏡をかけているが、切れ長の眼は澄んでいる。

――上野のやつ、いったいどこで知り合ったんだ？

元木は少し――いや、かなり妬《や》けた。

自分の印象をよくしておこうと、彼は自分で資料をコピーすると、それを女に手渡した。思いがけぬ親切に、女は一枚一枚確認しながら礼を述べた。

「ところで上野さんからお聞きしたんですけど」

女は、上野がホテルに着いてから資料が欠けていることに気づいたことを知っていた。彼女と少しでも長く話していたかった元木は、その話題に乗ることにした。

「ああ、あれね。たいへんだったんですよ」

元木は自分がいかに苦労して資料を転送したかを力説した。

「でも上野さんは、絶対入れ忘れたはずはないんだけど、不思議だっておっしゃってましたわ」

「それはそうですね。僕たちだって確認したんですからね」

「その欠けていた資料というのは、大学に忘れてあったのですか？」

「いや、それがまた不思議でね。結局どこにもなかったんです。まあ複写を何組か作ってあったので問題はなかったのですが、紛失した資料はそのままです」

「へえ、本当に不思議ですね」

このあと女はもう一度礼を言い、プロポーションのいい身体を椅子から上げた。元木はもうこれ以上彼女を引き止める理由がなく、またデートに誘う勇気もないので軽く会釈して彼女を見送った。

研究室に戻ると上野から電話が入っていた。唇の端を曲げながら元木は、立倉と名乗った女のことを話した。

「あんな美人の知り合いがいることを隠すとは、なんて奴だ」

「ちょ、ちょっと待ってくれよ。そんな女知らないよ」

「知らない？　そんなはずはないぜ。向こうは知ってるって言ったんだから」

「知らないよ。何て名前だって？　タテクラ？　変な名前だな。ますます知らないよ」

「おかしいな」

元木は受話器を置いてから首を捻《ひね》った。

――じゃあ、あの女は何者なんだ？

9

直子の初七日も終わり、大原家は一応平穏を取り戻した。泰三は書斎から窓の外を眺め、深い溜息《ためいき》を腹の底から吐き出した。

――とりあえず醜聞はしのげた。

由理子も、しばらくはショックで寝込む日が続いたが、二、三日前から多少元気になってきたようだ。若いのだから、いくらでもやり直しがきく。

子どもは彼女が自分から堕《お》ろすと言い出した。

その件については、時期を見て極秘で頼むと葉山には言い含めてあった。葉山はなんとかしてみると答えた。どういうやり方があるのか泰三にはわからなかったが、密《ひそ》かに事を運べるのならば少々の出費は覚悟していた。

泰三はちょっと思いついて、インターホンで吉江を呼んだ。

「由理子はどこに行っている?」

「お友達と買い物に出て行かれました」

「そうか」

「何か?」

「いや、いいんだ」

彼はインターホンを切ると、満足そうに頷《うなず》いた。

彼が書斎でまどろみかけた時、今度は吉江の方からインターホンのチャイムを鳴らしてきた。

「クラブの方がお会いしたいと……以前見えた人たちです。男の方と女の方で」

通しなさい、と彼は命じた。

「連絡はしようと思っていたんだがね、なにしろいろいろと忙しかったものだから」

書斎に現われた探偵と助手の女の顔を、交互に見ながら泰三は言った。

「事情は存じております。だからわれわれも今日まで待っていたのです」

探偵は歯切れよく言った。

「気遣いに感謝するよ。ところで仕事の件だが、一応ああいう形で解決したわけだから、打ち切りということでいいと思う。あとは謝礼だが、君たちの方から必要経費なんかのリストを出してくれるとありがたいんだが……」

泰三は、今日探偵たちが来た目的はそういうことだろうと解釈したのだった。だが探偵は彼の言葉など聞いていないようすで、黙って鞄《かばん》の中から書類を取り出した。

「調査結果です」と探偵は乾いた声で言った。

泰三はそのレポート用紙の束と探偵の顔を見ていたが、やがて、「どういうことかね？」と険しい目で訊《き》いた。

「ですから調査結果です」と探偵は繰り返した。「お嬢さんの相手の男について調べた結果を記録してあります」

「しかしそれがもう不要だということは君たちにもわかっているだろう。由理子の相手は神崎、これでもう決着がついている」

「違います」

「何が違うのかね」

泰三はレポートを探偵の方に押し戻した。探偵はちらとその上に目を落とし、それからまた泰三を見た。

「由理子お嬢さんの相手は神崎氏ではありません。だからご報告に上がったのです」

泰三は目を吊り上げた。「何だと？」

探偵は落ち着いた手つきで書類の一枚目をめくると、それを泰三の前に置いた。そこには由理子が、あるマンションの一室に入ろうとしているところが写っていた。

「このマンションは……」

見覚えがあった。泰三は書類を握りしめていた。

「そうです」と探偵は冷めた目をして言った。「葉山氏のマンションです」

震えが止まらなかった。脂汗がこめかみから顎《あご》に流れた。

「こんな馬鹿なことがあるわけがない」

唸《うな》るような声で彼は言った。「何かの間違いだ。たまたま奴のマンションに行っただけなんだ」

するると探偵は無表情のまま、「写真はほかにもあります」と言った。

「たとえば二人でシティ・ホテルに入る場面などです。物証はいくらでも増やせます」

「じゃあ……じゃあ神崎はいったい何だったのだ？　直子を殺したのは奴じゃなかったのか？」

「違います。彼も殺されたのです。直接手を下したのは、おそらく葉山でしょう」

「すると直子も葉山が……」

「そうです。そして結論を申し上げれば、今回の事件はすべて由理子さんと葉山氏によって巧妙に計画されたものだったのです」

「何を言い出すんだ？　由理子と直子は姉妹なんだぞ」

怒りのあまり立ち上がった泰三を、探偵はやや悲しげに眉《まゆ》を寄せて見上げた。それはこの男が珍しく見せた表情の変化だったが、それもすぐに消えた。

「動機については後で申し上げます」と探偵は言った。「まずは今回の計画の全容についてご説明したいと思います。とにかく、われわれの話を聞いてください」

泰三は拳《こぶし》を握り締めたまま探偵を見下ろしていたが、発すべき言葉が見つからず、再び椅子に身体を預けた。

「まず研究室の助手の方々――上野さんと元木さんとおっしゃいましたね――あの人たちの証言から考えてみます。証言によると、事件のあった日の午前一時半頃、上野さんが神崎氏に電話したところ誰も出なかった、ということでした。これによって神崎氏が疑われることになったわけですが、果たして本当に神崎氏は部屋にいなかったのでしょうか？」

「いれば電話に出たはずじゃないか」

「ふつうはそうです。ところで上野さんが失くした資料の一枚ですが、結局見つからなかったという話です。研究室を出る時はたしかに全部入れたはずなのに、ホテルに行くと欠けていた。となると、どこで失くしたかは明白です」

「この家で食事をしている間に消えたというのか？」

「正確にいえば、食事中に由理子さんが抜き取ったということです」

泰三は何か言おうとしたが止めた。たしかに彼の鞄は別室に置いてあったのだ。低く、

「続けろ」とだけ言った。

「上野さんがホテルに着く時刻は、例年の実績から推測できます。午前一時から二時ぐらいです。そうして彼は、まず資料の確認をする。もしそこで欠落を発見すれば、必ず神崎氏のところへ電話する。これは何年か前に同じミスをした時も同様でした」

「つまり、その時刻に必ず上野君が神崎に電話するように仕掛けた、と言いたいわけか。しかし何度も言うようだが、もし神崎が部屋にいたなら電話に出たはずじゃないか。上野君は、しつこくコールサインを鳴らしたと証言しておる」

「その件については今お話しします。由理子さんはそうやって資料の一部を抜き取るという仕掛けを行なったわけですが、おそらくもう一つ仕掛けをしたと思うのです。それは神崎氏に睡眠薬を飲ませるということです」

「睡眠薬？」

「そうです。酒かビールに仕込んで酌をすれば、簡単にできることですからね」

「神崎は睡眠薬を飲まされて、それで電話のベルにも目を覚まさなかったというのか?」

「いえ、そんなに効果の強い薬を飲ませれば神崎氏はアパートに着くまでに眠ってしまうおそれがあります。それにいくら眠らせていても、電話のベルで起きないという保証はありません。神崎氏を眠らせた目的は、葉山氏が部屋に忍びこむための準備だったのです」

「忍びこむ? 部屋には鍵《かぎ》が掛かっているじゃないか」

「由理子さんの協力があれば、合鍵を作ることはそれほど困難ではありません。神崎氏は日ごろから大原家に出入りしているのですから、何かの機会に神崎氏から鍵を借りて、その型を取っておけばいいのです。――さて忍びこんだ葉山氏が何をしたかですが……ここで先程のご質問にお答えすることになります。つまり」

探偵は右手を軽く握って、電話をかける真似をした。「コールサインを送っても、電話のベルが鳴らなければ、かけられたほうが受話器を取ることはないということです」

「……電話のベルに細工をしたというのか?」

「細工というほど大げさなものではありません。現在の電話機はコードの先端がプラグになっていて、電話線から外すことができます。それをすればいいのです。そうすれば電話のベルが鳴るはずがありません」

「相手の電話が外れていても、こちらにはコールサインは聞こえるのか?」

「聞こえます。実験してみますか?」

「いや、いい……」

声に張りがなくなったのが自分でもわかった。もちろん泰三は、こんなことは知らなかった。

探偵は続ける。

「それだけのことをしたのち葉山氏は自分の部屋に戻り、じっと時間の過ぎるのを待ったのです。その間に、今度は由理子さんが準備をすすめているはずでした」

「直子を殺す準備か？」

暗い顔つきで泰三は訊いた。声が震える。ひと呼吸置いたのち探偵は、「そうです」と短く言い放った。泰三は顔をそむける。

「直子さんはおそらく部屋を間違えたりはしなかったでしょう。犯行時、ご自分のベッドで寝ておられたはずです。由理子さんはトイレの窓から葉山氏を招き入れると、二人で直子さんを殺害し、そののち死体を自分の部屋に移したのでしょう」

大きく肩で息をしながら泰三は、「血が飛び散るじゃないか」と言った。

「ナイフが心臓に達してショック死した場合、出血はほとんどないのです。刃物を抜かなければ、より確実です」

泰三は唾《つば》を飲みこもうと喉《のど》を上下させた。だが口の中には一滴の唾もなかった。

「仕事を終えたのち葉山氏は再び神崎氏の部屋に入り、電話を元に戻してから自分のマンションに帰ったというわけです」

「しかし……しかしだ。神崎は自殺に間違いないという話だったじゃないか」

「状況は完全にそうでした。しかし偽装自殺の可能性はあるのです。たとえば、例によって葉山氏が合鍵を使って神崎氏の部屋に潜んでいたとします。そして神崎氏が無防備で帰って来たところを、クロロホルムを嗅《か》がせて意識を奪い、それから自殺に見せかけて殺すという方法です。相手は無抵抗なのですから、どんなことでもできます。ためらい傷をそれらしくつけるというのも、医師である葉山氏ならむずかしくはないでしょう。もちろんこれらは確証があって言っていることではありません。ただ、自殺説を覆すことが不可能ではないということを言いたいだけなのです」

泰三は頭を抱えて探偵の言葉を聞いていたが、その手を下ろすと背筋を伸ばして椅子にすわり直し、真正面から探偵の顔を見返した。彼の中で、ようやく一つの覚悟が出来たのだった。

「聞こう、動機はなんだ?」

今までとはうって変わった静かな口調で彼は言った。

探偵は話し出した。

「われわれの考えでは、おそらく由理子さんたちがまず殺そうとしたのは、神崎氏のほうだったと思うのです。そして直子さんは、彼を殺す布石として犠牲になった……」

「馬鹿な、そんなことで姉妹を殺すわけがない」

「いえそれだけでなく、由理子さんには直子さんも殺したいという気持ちがあったと思うのです。直子さんがこの家に来て以来、あなたの愛情はほとんど彼女に注がれることになりましたね。たぶん、十数年間苦労をかけたことに対する負い目が、あなたにそういう態度をとらせたのでしょう。しかしあなたにとっては娘でも、由理子さんにとって直子さんは、よそから突然やって来て父親の愛情と関心を奪った侵略者でしかなかったのです。おそらく何年も前から、由理子さんは直子さんの死を願っていたことでしょう。あなたは直子さんをジャック・ナイフのように考えていたかもしれませんが、その間に薔薇《バラ》が刺《とげ》を持ち始めていたことに気づかなかった」

「だが……血のつながった姉妹を……」

「その疑問はもっともです」

探偵は大きく頷《うなず》いた。「われわれも考えました。どんな理由があるにせよ、血のつながった者を殺すことができるものかどうか？　血のつながりとは不思議な威力を示すもので、いかに憎んでいても、自分と同じ血が流れているというだけで許してしまえることも多いものです。そこでわれわれはまったく別の考え方をしてみました。つまり、果たして由理子さんと直子さんは血がつながっているのか、と」

「何を言い出すんだ。つながっているに決まっているじゃないか」

「あなたは父親です。したがってこの場合、何も断言できないはずです」

泰三は言葉を飲みこんだ。たしかに父親に、それを断言する材料はない。

「では簡単にあなたを納得させる証拠を示しましょう。遺伝子工学の権威であるあなたに、こういうことを言うのは面映ゆいのですが」

こう言うと探偵は書類の何枚目かをめくった。そして泰三に、「あなたの血液型はA型でしたね？」と訊いた。彼は頷くだけでなく、「直子と由理子はB型だ」と付け加えた。

「おっしゃるとおりです。ついでに直子さんのお母さんの血液型はご存じですか？」

「知っている。B型だ。そして由理子の母親はAB型だった」

探偵は書類に目を落とし、それからちょっと首を傾げた。

「ところがそれが違うのです」

「違う？　何が違うのだ？」

「由理子さんのお母さんはABではなくA型だったのです。これは由理子さんを産むために入院された病院で調べたことですから間違いありません」

「由理子は……私の娘ではないというのか」

A型とA型からB型が生まれることはない。これは百パーセント確かなことだった。

「残念ながら、そういうことになります」

「ではいったい誰の子なのだ？　あれの母親に、男がいたというのか？」

そう言ってから泰三ははっとした。二十年前、泰三は友人の恋人を横取りして結婚したのだった。その友人とは、今は亡き菊井助教授だ。

「まさか、菊井の……」

探偵は頷かなかった。代わりに、こう言っただけである。

「菊井助教授の血液型は、B型でした」

泰三の心の中が一瞬空白になった。二十年前の妻の姿が瞼《まぶた》に浮かび、すぐに消えた。由理子が生まれたのは結婚して一年が過ぎてからだから、結婚後も妻と菊井は会っていたということになる。そしてそう考えれば、由理子が自分に少しも似ていないことにも気づくのだった。

「そうか……菊井の娘だったか」

「さらに付け加えれば、神崎氏は菊井助教授の下で研究していたそうですね」

「……神崎は由理子が私の子でないことを知っていたと？」

「その可能性は充分にあります。そしてそれを由理子さんに告げたのではないかと思うのです。もっとも、それまでに由理子さんが自分の出生の秘密を知っていたかもしれませんがね。とにかく神崎氏はそのことを告げた。そして彼女を脅迫した」

「脅迫？」

「想像です。要求したのが金だったのか、肉体だったのか、あるいはその両方だったのかはわかりません。しかしいずれにせよ、何らかのプレッシャーを与えたと思います。だから彼女には神崎氏を殺す必要があった。つまりここですべてが一本の線につながるわけです。由理子さんはあなたの本当の娘ではなかった。そこでまず、それを知っている神崎氏を殺そうとする。また一方、直子さんのことも彼女は憎んでいた。この二つの殺意を両立させるため、直子さんを殺して、その罪を神崎氏に着せるという手を考えたわけです」

「そして葉山がその手助けをしたということか……」

「由理子さんと葉山氏が、いつから深い仲になったのかはわかりません。おそらく最近ではないでしょう。葉山氏にしてみれば、由理子さんと結婚して多大の財産を獲得しようともくろんだんじゃないでしょうか。しかしそのためには由理子さんは、大原家の血を引いていなければならない。そういう意味では彼にも殺人の動機は存在したわけです。また今回の事件によって、あなたも由理子さんもけっして彼には逆らえなくなりましたからね。彼としては一石二鳥の効果があったということです」

探偵の長い話が終わった。渇いた喉を潤すように、彼は冷めた茶を流しこんだ。

泰三は椅子にすわったままだった。立ち上がる気力など到底なかった。惨めな喘《あえ》ぎ声を漏らさないのが精一杯だ。

「そうすると……」

かろうじて彼は言った。「そうすると妊娠のことも嘘だったのか？」

「そういうことになりますね」

探偵の言葉はひどく乾いて聞こえた。

「由理子は……今どこにいるのだ？」

すると探偵はレポートの一枚目を、もう一度泰三の前に出した。由理子が葉山のマンションに入って行くところをポラロイド・カメラで写したものだ。

「電話をかけて、あなたご自身で確かめられてはいかがですか？」

泰三が電話のプッシュ・ボタンを押している時、由理子は葉山のベッドで眠りに入りかけていた。

この何日間か、眠れない夜がたびたびあった。あの計画が誰かに見抜かれ、明日にでも警察が自分のところに来るのではないかという恐怖が、彼女を捉《とら》えて離さなかったのだ。だがどうやら、すべてはうまくいったらしい。自分の前にやって来た人間たちは、皆同じように同情の言葉をかけていっただけだった。

後悔はしていなかった。

神崎は殺さなければならなかったのだし、直子だって死ぬべきなのだ。

父の愛をすべて横取りした直子。

もし自分が本当の娘でないとわかったら、父はさらに自分のことなど見向きもしなくなるだろう。

自分のやったことは間違ってなどいないのだ——。

由理子は葉山の胸の上で目を閉じた。

彼の規則正しい鼓動が聞こえてくる。

枕元には電話。だがコードを抜いてあるので、それが鳴り出すことはない。行為に及ぶ時、いつもこうしてあるのだった。まさかこれが役に立つとは思わなかった。

泰三は受話器を持ったままだった。耳の奥ではコールサインが鳴り続けている。

彼はいつまでもそうしていた。
探偵たちの姿は、もうそこにはなかった。

本書は、一九九六年六月に祥伝社文庫から刊行された作品に加筆訂正し、文庫化したものです。

探偵倶楽部《たんていくらぶ》

東野圭吾《ひがしのけいご》

平成17年 10月25日　初版発行
平成30年 10月30日　53版発行

発行者●郡司 聡

発行●株式会社KADOKAWA
〒102-8177　東京都千代田区富士見2-13-3
電話　0570-002-301（ナビダイヤル）

角川文庫 13967

印刷所●株式会社KADOKAWA
製本所●株式会社KADOKAWA

表紙画●和田三造

ISBN978-4-04-371802-3　C0193

◆◇◇